これならできる!! 毎日ラクチン!
作りおき+使いきりおかず

武蔵裕子

- スピード
- ムダなし
- 安心
- おいしい!

永岡書店

チンすれば ご飯もほかほか

多めに炊いて1膳ずつ冷凍保存しておけば、食べるときにチンするだけ。温かいご飯がすぐに食べられるって、うれしいですよね！

お湯を注ぐだけの簡単汁もの

具材をお椀に入れて、食べるときにお湯を注ぐだけなら、料理ができなくても大丈夫。洗いものも減るし、ごはん時間がグンと充実！

野菜が切ってあればサブもあっという間！

あるとうれしいけど、作るのが面倒なサブおかず。でも野菜を切って保存しておけば、すぐに調理可能。野菜の使い残しも減ります。

作りおきと使いきりのおかずで
毎日ラクチンごはん

もう
コンビニごはんは
おしまい！

切ってある野菜を添えるだけ

日もちを考えて調理に使う野菜は少なめに。そのかわり、食べるときにたっぷり添えて野菜不足を解消します。栄養も彩りも文句なし！

メインおかずは温めるだけ！

一度にたくさん作って保存しておけば、好きなときにできたてが食べられる！"おうち惣菜"なら安上がりで家計にもやさしい。

たとえばこの定食風晩ごはん。
温かいご飯と汁ものに
おいしそうな魚とおひたし。
健康的で毎日でも食べたいですよね。
作り方は魔法のように簡単！
「忙しいし、作るのは面倒くさくて」
という人にもおすすめなんです。
コンビニやお惣菜に頼っていた人も
今日からラクチン自炊はじめましょ！

おうちごはんが楽しみに！

作りおきと素材使いきりで おかずはバッチリ！

この本のレシピなら
こんなにいいことがたくさん！

用意する材料が少ないから節約にも！

材料がなくて料理が作れない…そんなことがないように、素材は極力少なく、でもおいしく作れるように工夫しています。たくさん材料を使わないから自然と食費の節約にもつながり、スーパーやコンビニのお惣菜より安上がり！

温めるだけでいいお惣菜が待ってます

この本を活用すると、冷蔵庫にいつでもおかずや切った野菜が揃っている状態になります。あとは食べるときに温めたり、ちょっと調理するだけ。お惣菜を買ってきて温めるのと変わらない手間で、おいしいおかずが食卓に並びます。

フライパンひとつで作れるものばかり！

作りおき＝手間がかかりそう、と思いがちですが、この本で紹介するレシピはフライパンひとつ、10分もあれば作れるものが勢ぞろい。最小限の道具しかいらないから、手間はかからない、洗いものもラクと、とことんうれしい！

肉や魚、野菜をすべてムダなく使いきれます

この本では肉、魚、野菜のメイン材料を一般的な1パック（袋）の単位で使いきれるようにしています。たとえば1パック400gの肉をすべて使うレシピを2〜3点紹介。使い残しがないから、買い物計画も立てやすくなります。

野菜たっぷり。バランスのいい食事が取れます

肉や魚の作りおきおかずは材料を少なくシンプルに。そのかわり、好きな野菜をたっぷり添えるように提案しています。ひと皿の中で栄養バランスが取れる仕掛けです。生野菜だけでなく、P60〜の野菜のおかずを添えても good。

プロセスが少なく簡単、早い！ビギナーでも安心

忙しい人、料理が苦手な人のための本なので、史上最強レベルのラクチンさ！　なのにちゃんとおいしいから、何度でも繰り返し作りたくなります。普段、あまり料理を作らない人、ほとんど作ったことがない人も安心してトライして。

Contents

もうコンビニごはんはおしまい！
作りおきと使いきりのおかずで
毎日ラクチンごはん……2

作りおきと素材使いきりでおかずはバッチリ！
おうちごはんが楽しみに！……4

この本のおかず作りの考え方はこの2つ……10

肉・魚おかずは「作りおき」で！……12
野菜は丸ごと「使いきり」！……14

Part 1

まとめて作って、食べるときは温めるだけ！
肉・魚のごちそうメインおかず

多めに作って冷蔵・冷凍。
ラクチン保存でいつでもおいしい！……18

ポイント1　すぐに食べたいおかずは冷蔵保存に……19
ポイント2　ストックしておきたいおかずは冷凍保存に……20
ポイント3　おいしく食べるために。失敗しない解凍のコツ……21

この本の使い方
＊小さじ1＝5cc、大さじ1＝15cc、1カップ＝200ccです。
＊電子レンジは600Wのものを使用しています。500Wの場合は1.2倍の加熱時間を目安としてください。

サッと作れて保存もOK! ボリュームたっぷり肉おかず

豚こま切れ肉
- 豚肉とまいたけのしょうがポン酢炒め……22
- 豚肉のこくうまオイスターソース煮……23

豚バラ薄切り肉
- 豚肉の塩ガーリック煮……24
- 豚肉とコーンのケチャップマリネ……25

豚ロース薄切り肉
- 豚肉のカリッと竜田揚げ……26
- 豚肉の簡単クリーム煮……27
- 洋風しょうが焼き……27

豚かたまり肉
- 塩豚……28
- 塩豚チャーハン……29
- 中華風サラダ……29

豚ひき肉
- れんこんミートボール……30
- トマトマーボー……31

鶏もも肉
- ゆずこしょう&韓国風のグリルチキン……32
- 塩から揚げ……33

鶏胸肉
- 鶏胸肉のしっとり中華マリネ……34
- 鶏胸肉と豆のチーズ炒め……35

鶏手羽中肉
- 鶏肉のトマト煮込み……36
- 即席タンドリーチキン……37

鶏ひき肉
- ひき肉と長いもの甘辛煮……38
- 照り焼きミニつくね……39

牛切り落とし肉
- チャプチェ……40
- 牛肉の香味しぐれ煮風……41

合いびき肉
- ドライカレー……42
- ベジタブルバーグ……43

こってり、さっぱりいろいろあって飽きない ヘルシーおいしい魚おかず

鮭
- 鮭の照り焼き……44
- 鮭とセロリの簡単マリネ……45

ぶり
- 塩ぶり大根……46
- ぶりときのこのオイスターソース炒め……47

えび
- えびとブロッコリーの薄味煮……48
- えびとたけのこのベトナム風炒め……49

いか
- いかの甘みそ煮……50
- いかとパプリカの中華炒め……51

さんま
- さんまのチリソース煮……52
- さんまの梅おかかがらめ……53

さば
- さばのカレー風味ソテー……54
- さばとえのきだけの塩レモン煮……55

たこ
- たこと小松菜のナムル……56
- たこのお好み揚げ……57

7

Part 2

「切っておく」「ゆでておく」…etcでスピードアップ！
素材丸ごと使いきりのおかず

キャベツ
- キャベツのおかかあえ……62
- キャベツのペペロンチーノ……63
- キャベツチーズステーキ……64
- 豚しゃぶサラダ……65

レタス
- レモンシュガーサラダ……66
- レタスとえびのジンジャーソテー……67

大根
- 大根ステーキ……68
- 大根とベーコンのさっぱりあえ……69
- 大根と豚肉のクリーム煮……69

ブロッコリー
- ビタミンチャーハン……70
- ブロッコリーの梅しそマヨあえ……71
- ブロッコリーのきんぴら……71

じゃがいも
- 即席ポテトサラダ……72
- ジャーマンポテト……73

ピーマン
- ピーマンとじゃこの炒め煮……74
- 簡単チンジャオロース……75

玉ねぎ
- チキンライス……76
- オニオンドレッシング……76
- 玉ねぎとソーセージのコンソメスープ……77
- オニオンサラダ……77

きゅうり
- きゅうりの浅漬け……78
- きゅうり漬けと豚肉のサッと炒め……78
- 簡単混ぜ寿司……79
- もずくときゅうりの酢のもの……79

トマト
- フレッシュトマトのスパゲティ……80
- トマトのはちみつレモンソース……81
- トマト卵のふんわり中華炒め……81

白菜
- 白菜とハムのナンプラー炒め……82
- 白菜とほたてのポン酢蒸し……83
- ラーパーツァイ……83

もやし
- もやしと桜えびのチヂミ……84
- もやしとツナのカレーマヨ炒め……85
- もやしのナムル……85

にんじん
- にんじんの卵とじスープ……86
- セロリとにんじんのマスタード炒め……87
- キャロットサラダ……87
- ちくわとにんじんの甘辛炒め……88

なす
- なすと豚肉のみそ炒め……89
- なすのツナマヨあえ……90
- 塩もみなすの辛子あえ……90
- なすと水菜のスパゲティ……91

Part 3

作っておくとめちゃ便利！ 使いまわしがいろいろできる

具だくさんソース＆常備菜

ほうれん草
- ほうれん草のゆずこしょうおひたし……92
- ほうれん草と牛肉の韓国風炒め……93

根菜ミックス
- 豚汁……94
- 根菜カレー……95

きのこミックス
- きのこ汁……96
- マーボーきのこ……97

豆腐
- 豆腐ステーキ……98
- キムチ豆腐……99

油揚げ
- 油揚げと水菜の煮びたし……100
- カリカリ油揚げ……100
- わかめと油揚げのポン酢あえ……101
- きつねうどん……101

具だくさんソース

メインおかずにもワンプレートにも大活躍！

- 野菜たっぷりミートソース……106
- スパゲティミートソース……107
- 具ごろごろホワイトソース……108
- チキンドリア……109
- バンバンジーソース……110
- 冷やしバンバンジーうどん……111
- 簡単！食べるラー油……112
- あつあつご飯ラー油がけ……113

常備菜

おかずが少ない日もこれさえあれば！

- カラフルひじき煮……114
- ひじき入り卵焼き……115
- 切干大根の南蛮漬け……116
- 豚の竜田揚げ 南蛮ソース……117
- 卵入り鶏そぼろ……118
- あんかけそぼろ温やっこ……119
- なめたけ……120
- なめたけおろし……121

column

1. 添え野菜の簡単アレンジアイデア……58
2. 混ぜるだけでおいしい簡単彩りご飯……102
3. "お湯を注ぐだけ！"の簡単汁もの……122

素材別インデックス……124

の考え方はこの2つ

「メインの作りおき」と「サブの使いきり」がこの本のテーマ。このふたつの考え方をマスターすれば、忙しくても、料理が苦手でも、もう困りません！

肉や魚の
メインおかずは

まとめて 多めに作りおき

少し作っても多めに作っても、ごはん作りの手間は同じ。そこで、この本では1回の量を多めに作ることを提案しています。1〜2人暮らしなら4人分、4人家族ならレシピの倍量を一気に作って、残りは保存。日もちするおかずばかりだから、夏でも安心です。

この本のおかず作り

野菜や豆腐の
サブおかずは

下ごしらえして使いきる！

野菜を買ってもダメにしてしまうと、料理する気もそがれてしまいますよね。そんなムダを減らすいい方法は、買ってすぐ下ごしらえをしてしまうこと。切っておく、塩でもんでおくなどの簡単な処理をしておくと、すぐに料理に使えるのでとってもラク！　最後までムダなく使いきれて、節約もできますよ。

＋ そのほか、アレンジのきく便利な常備菜やソースも！

> あとで
> ラクするために
> 知っておきたい！
> 1

肉・魚おかずは「作りおき」で！

メインは多めに作って、半分食べて、残りは保存！

この本での作りおきは、いろいろなおかずを作るのではなく、余裕のある日に「1品をどっさり作る」こと。あえて余らせて、翌日以降をラクにします。それにはこんなことが大切。

たくさん作っても かかる手間は同じ！

材料を揃えて調理する手間は何人分でも同じなので、ぜひ多めに作って保存を。いつも2人分作っているなら4人分作ってしまいましょう（P22～57の材料は4人分なので、3～4人家族の場合は倍量にして作ってください）。

材料は安いときに まとめ買い

1～2人暮らしの人は普段、肉や魚を大量に買うことは少ないけれど、一気に作ることを前提にすれば多めに買っても大丈夫。安売りの日を狙って買えば、少量で買うより食費が安くなります。作りおきでかしこく節約しましょう！

肉や魚は薄く切ると 早く火が通ります

食事のしたくはできるだけ早くすませたい！　という忙しい人は、材料の切り方にひと工夫。肉や魚は小さめ、薄めに切ると、加熱や解凍にかかる時間がグンと短くなります。また加熱するときは、ふたをして蒸し煮にすると早く火が通ります。

作りおきしておけば…

あとは温めるだけ！
おいしいごはんが
すぐ食べられます！

余ったおかずはできるだけ空気を抜いて保存袋（汁けがあるものは密閉容器）に入れ、冷蔵または冷凍室へ。ストックがあれば、忙しい日も、すぐにごはんの準備ができます！保存や日もちは各料理を参照して。

メインがすでにできていると、献立を考えるのもラク。野菜を添えて盛ればこんなに豪華！

日もちを考えて肉、魚をメインに

水分の多い野菜を具材にたくさん加えると傷みやすくなるので、材料は肉、魚をメインに1〜3種類程度。野菜は食べるときにたっぷり添えて栄養バランスをカバーします。食材が少ないから作るのも早い！

時間がないときは
下味をつけるだけでもOK

時間がなかったり、疲れて作る気になれないときは、無理に頑張る必要はナシ。そのかわり、簡単な下ごしらえだけしておくとラク。たとえばタンドリーチキンなら、肉をたれに漬けておけば翌日は焼くだけで完成。

1食分ずつ
小分けにして
保存すると便利

残ったおかずは、1食分ずつ分けるのも手。特に1人暮らしの場合は、まとめて冷凍すると食べるときが大変。小分けにすれば、無理なく食べきれます。子供や夫が夜食を食べる場合も小分けにしてあれば簡単！

野菜は丸ごと「使いきり」！

あとでラクするために知っておきたい！ 2

買ったらすぐに「切る」「ゆでる」をやっておくと時短に！

野菜を最後まで使いきるには、買ったあとが大切。
切っておく、皮をはがしておくなど簡単な準備だけしておけば、
忙しいときもすぐに調理できて使い残しがなくなります。

青菜はゆでて水けを絞って

ほうれん草はどんな料理に使うにしても、まず一度ゆでるので、新鮮なうちにサッとゆでて保存を。使うときもお湯をわかす手間がなく、すぐに調理に入れます。小松菜、チンゲン菜などアクがない青菜はゆでずに切っておくだけでも。

葉ものは洗って水けを拭いておく

レタス、サラダ菜など生で食べる葉ものは、冷蔵庫に入れておくと徐々に傷んでくるので、買ってきたら先に葉をはがしてしまいます。洗って水けを拭き、保存袋に入れておくとパリッと感が長もち。濡れたペーパータオルで包んでもOK。

カット野菜があれば調理もすぐ！

野菜を切るのは、意外に手間。買ったらすぐに洗ってカット野菜にしてしまいましょう。使いやすく切って種類別に保存袋に入れておけば、調理のときは袋から鍋に加えるだけ。冷凍した場合も加熱調理なら凍ったまま鍋に加えられます。

旬のものをおいしく食べきる！

安くておいしく、栄養もたっぷりの旬野菜は、積極的にとりたいもの。旬の時期に買うと量もたくさん入っていておトクですが、使いきれないと逆にソン。切っておく、塩もみするなど調理前の下準備をして、すぐ使えるようにしておきましょう。

下ごしらえしておけば…

あとは混ぜるだけ、炒めるだけであっという間におかず１品！

下準備した野菜は保存袋に入れておき、調理のときは袋から直接加えるだけ。包丁もまな板も使わないから、調理時間がとにかく早い！ あえもの、サラダなどの簡単なサブおかずなら、3分でできちゃうものも！

塩もみして水分を出しておく

野菜が傷む原因のひとつは水分。切って塩でもんで余分な水分を出してから保存すると、生で冷蔵庫に入れるより長もち！ 塩もみした野菜はマリネ、サラダ、つけ合わせなどいろいろな用途に使えて便利です。

ミックス野菜も作っておくと便利

切った野菜は、一種類だけでなく、何種類か混ぜて保存しておくのもおすすめ。特に根菜類、きのこ類はミックスで使いやすく、煮物、パスタなどさまざまに重宝します。よく使う野菜同士をいっしょに入れてオリジナルミックスを作っても。

豆腐や油揚げも下処理しておくとラク

豆腐はペーパータオルに包んで保存袋に入れておけば、水分が吸収されて水きりの手間ナシ！ 枚数が多くてなかなか使い切れない油揚げは、切る、煮るなど下ごしらえを変えて保存すると、使いやすくなります。

ピーマンとじゃこの炒め煮はたった5分。切っておくだけで時間もお金もムダなし！

Part 1

まとめて作って、
食べるときは温めるだけ！

肉・魚の
ごちそう
メインおかず

週末にまとめて作りおき？　1日に何品もおかずを作る？　忙しいとそんな面倒なことできないですよね。だから、肉や魚のメインおかずは、1回で2〜3日分の量を作っちゃいましょう。そう、作りだめです。翌日以降は温め直すだけ。ラクチンですよ！

作りおきの大切なポイント！
多めに作って冷蔵・冷凍。
ラクチン保存でいつでもおいしい！

1種類の量を多めに作って残りを保存する方法なら、作る手間は一度だけ。保存は、タイミングや目的に応じて冷蔵、冷凍を使い分けるのが上手に食べきるコツです。

作ってから保存までの流れは…

レシピにそっておかずを作ったら、その日すぐに食べる分、保存する分に分けるだけ。食べ残しを保存するのではなく最初から取り分けるので、残り物感もなし！

手間は同じだから多めに作って…

半分は冷蔵庫に！
その日食べる分以外は保存容器に取り分けます。食べたいときに必要に応じて野菜などを添えて。

レシピの分量は4人分ですが、あえて残るように1〜2人暮らしはレシピ通り、3〜4人暮らしの場合は倍量で作ります。

半分はすぐ食べて
半分はその日の夕ごはんに、できたてをいただきましょう。半分はあらかじめ保存用に取り分けて。

おかずの種類によって器を変えて保存します

くずれやすいもの、汁けのあるものはふたつき容器に
ふたつきの密閉容器は形が崩れず、液だれもなし。そのまま電子レンジにかけられる耐熱仕様が便利です。

汁けの少ないものや少量のものは保存袋へ
ファスナー式の保存袋なら場所をとらず、コンパクトに収納できます。冷凍したいものは冷凍専用保存袋に。

すぐに食べたいおかずは 冷蔵保存に

Point 1

この本の肉、魚のおかずは日もちするので、
作ってから早めに食べるときは冷蔵室で大丈夫。
保存するときは、次のことも覚えておくと役立ちます。

たれや煮汁も入れて コーティング！

鍋に残った煮汁、ソースは捨てずに、料理とともに保存袋へ入れておきましょう。いっしょに漬けておくことで、時間がたってもおいしさが逃げません。冷凍する場合も同様です。

しっとりおいしく

中までよく火を通して しっかりさまします

作ったおかずが熱いうちに冷蔵庫に入れると、庫内の温度が上がって冷却エネルギーを余分に使うことに。節電も考え、バットなどに移してだいたいさめてから保存袋や容器に入れましょう。

急ぐときには

逆さにしたココットなどにバットをのせ、底に空気の通り道を作ると早くさめます。

保存容器は レンジ対応が便利

保存容器にはいろいろな種類があるので、料理、量、冷蔵庫のスペースなどに合わせて何種類かストックし、使い分けましょう。電子レンジ対応のものなら、そのまま温め直せます。

ホウロウは直火OK

耐熱仕様のホウロウ素材の容器は、コンロにのせて弱めの直火で温めることも可能。また金属は酸に強く早く冷えるので、冷製マリネなどの保存にも。

\ 温め直しのコツ /

電子レンジやグリルで 食べるぶんだけ温めます

再加熱と冷蔵を繰り返すと徐々に味が落ちてしまうので、一度で食べられない量の場合は、容器に移し替えて食べる分だけ温め直しを。冷凍したおかずも同様です。

ストックしておきたいおかずは冷凍保存に

Point 2

早く食べない場合は、ストックおかずとして冷凍保存すると安心。しばらく冷蔵庫においてから移動するより、作りたてを冷凍したほうがおいしく食べられます。

日付を書いておくと便利！

古いストックから順に食べられるように、作った日付を書いておくと目安に。袋にマジックで直接書くと一度で使いきりになりますが、ふせんをラベルがわりにして貼ると保存袋の再利用ができます。

一度に食べきれる量に小分けして

まとめて作っても、食べるときは大勢とは限らないもの。むしろ、ひとり分の食事にも対応できるように小分け保存したほうが、お弁当やランチ、夜食などに利用できて便利。

アルミカップに入れればお弁当にも！

晩ごはん用とお弁当用を分けたいときは、アルミカップなど小分け容器に分けると便利。詰めるときはアルミカップをはずして温め直すか、冷凍のまま弁当箱に入れて自然解凍を。

そのまま詰めても！

保存袋にはなるべく空気を入れないで

保存袋の中に空気があると、食品が酸化して変色したり霜がついておいしく食べられないことも。保存袋におかずを入れたら手で空気をできるだけ押し出して密閉するようにしましょう。

\ おすすめ！ /

冷凍室が狭い場合は保存袋にしましょう

1～2人暮らし用の冷蔵庫は冷凍室も小さく、密閉容器を入れるとすぐにいっぱいに。そんなときは、保存袋を活用して。立ててしまえば狭くてもたくさんストックできます。

おいしく食べるために。失敗しない解凍のコツ

Point 3

冷凍おかずはパサつく、おいしくない、という声もありますが、それは解凍に問題があるせい。次のことに気をつけて解凍すれば、作りたて同様のおいしさが味わえますよ。

揚げものはトースターでカリッとおいしく

電子レンジでも温め直せますが、脂が出てベタついてしまいがち。でも、自然解凍後に保存袋から出してオーブントースターで表面を軽く焼きつければ、カリッと香ばしく、中はジューシー。オーブントースターがなければ魚焼きグリルを利用して。

中はジューシー！

おすすめは自然解凍。急ぐときはレンジを使って

いちばん失敗ないのは自然解凍。外に置いて、食べる直前にレンジで温めます。夏なら半日前に冷凍室から冷蔵室に移せば大丈夫。すぐ食べたい場合は電子レンジの解凍モードで。解凍、温め直しを一気にやると意外に時間がかかるので注意して。

脂っぽいもの

これは自然解凍で

脂分が多いものは自然解凍してから電子レンジで温めると、ベタベタにならない。

くずれやすいもの

魚など長く加熱すると形がくずれがち。これも自然解凍後に電子レンジが正解。

\ 解凍するときの注意点 /

保存袋のファスナーや容器のふたははずしてレンジに

保存袋は、口をしめたまま加熱すると中で爆発を起こすなど危険なので開けて。電子レンジ対応の保存容器でも、ふたは非対応の場合も。

温めすぎはダメ。様子をみながら加熱を

加熱が長すぎるとパサついて味が激落ちに。目安は2〜3分ほど。加熱したら取り出して一度混ぜ、再び加熱するなど、様子をみながら温めて。

1か月以内に解凍して食べきりましょう

冷凍すると物理的に腐ることはありませんが、保存が長いと風味が落ちます。できれば2週間以内、長くても1か月以内に食べるようにしましょう。

袋のまま鍋で湯せんは×

電子レンジ対応の保存袋でも、レトルト食品の感覚で熱湯で温めてしまうと袋が溶けてしまいます。湯せんでの温め直しは厳禁と心得ましょう。

豚こま切れ肉 \400gで/

リーズナブルな豚こま切れ肉は、400g買っても格安！炒め煮で濃い目の味をしっかり含ませるとご飯がすすむおかずに。

サッと作れて保存もOK！
肉おかず

ボリュームたっぷり

レシピ通りに作れば、1人分なら4回分、2人分なら2回分のメインおかずが一度に完成！　毎日作らなくてもおいしい晩ごはんがきちんと食べられます。

材料（作りやすい分量）

豚こま切れ肉（食べやすく切る）	400g
しょうが（せん切り）	大1かけ
まいたけ（小分けにして軸は小さめに切る）	1パック
ポン酢	大さじ6
サラダ油	大さじ1

おすすめの添え野菜　食べやすく切ったきゅうり

作り方

1 フライパンにサラダ油を熱し、中火でしょうがを炒める。

2 香りが出てきたら豚肉を加えて炒め、色が変わったらまいたけを加えて2分ほど炒める。

3 ポン酢を加え、火を少し強めて汁けがなくなるまで炒め煮する。

保存は
保存袋に入れて冷蔵で4日、冷凍で2週間が目安。温め直しは電子レンジで。

さっぱりしていていくらでもいけちゃう！
豚肉とまいたけのしょうがポン酢炒め

ポイントはたっぷりのせん切りしょうが。肉の臭みを消してくれるうえに、風味バツグン！味つけは市販のポン酢だけだから失敗しません。

肉・豚こま

こってり味でご飯がすすみます！
豚肉のこくうま オイスターソース煮

こってり風味のオイスターソースで味つけすると
白いご飯がよくすすむおかずに。
鶏ガラスープの素を使えば、うまみもたっぷり！

材料(作りやすい分量)	
豚こま切れ肉（食べやすく切る）	400g
しいたけ（石づきを取り薄くスライス）	3個
長ねぎ（縦半分に切って斜め切り）	1/3本
顆粒鶏ガラスープの素	小さじ1
A [酒大さじ1、砂糖大さじ2、しょうゆ大さじ1/2、オイスターソース大さじ2と1/2]	
サラダ油	大さじ1
ごま油	小さじ1/2

作り方

1 フライパンにサラダ油を熱し、中火で豚肉、しいたけ、長ねぎを炒める。

2 肉の色が完全に変わったら水1/2カップ、鶏ガラスープの素を加え、煮立ってきたらAを順に加える。3分ほど煮て、ごま油を加える。好みで白いりごま（分量外）をふっても。

保存は

保存袋に入れて冷蔵で4日、冷凍で2週間が目安。温め直しは電子レンジで。

豚バラ薄切り肉 \400gで/

脂身が多く、肉そのものにうま味がたっぷりの豚バラ肉。そのコクを生かして煮ものやマリネにすれば、日もちするおいしいおかずに。

材料（作りやすい分量）

豚バラ薄切り肉（3〜4cm長さに切る）	400g
酒	大さじ3
にんにく（粗みじん切り）	2と½片
塩	小さじ1
顆粒鶏ガラスープの素	小さじ1
粗びき黒こしょう	適量

おすすめの添え野菜　サラダ菜

作り方

1 フライパンに水1と½カップ、酒を入れて火にかけ、煮立ってきたらにんにくを入れる。

2 豚肉を加え、再び煮立ったら塩、鶏ガラスープの素を加えて2〜3分煮る。仕上げに粗びき黒こしょうを多めにふる。

保存は

保存容器に煮汁ごと入れ、冷蔵で4日、冷凍で2週間が目安。温め直しは電子レンジで。

サッと煮るだけで、めちゃおいしい！
豚肉の塩ガーリック煮

バラ肉はにんにくといっしょにゆでることで余分な脂が落ち、さっぱり食べられます。日もちさせるために汁けはしっかりとばして。

肉・豚バラ

ご飯のおかずにもなるし、サラダに添えても
豚肉とコーンの
ケチャップマリネ

マリネは揚げる、漬け込む、と二度手間がかかるけれど、これは炒めて漬けるのでより簡単。コーンとケチャップで子供にも喜ばれる味です。

作り方

1 バットにAを合わせ混ぜ、コーンを加える。

2 フライパンに豚肉を入れ、弱めの中火でカリッとするまで2〜3分炒め、ペーパータオルで余分な脂を取る。

3 1に2の豚肉を加えて全体をなじませ、15分ほどおく。

材料（作りやすい分量）	
豚バラ薄切り肉（3cm長さに切る）	400g
コーン（缶詰または冷凍）	1カップ弱(100g)
A［ケチャップ大さじ3、砂糖小さじ1、酢大さじ4、ごま油小さじ½、しょうゆ少々］	

保存は
保存袋に漬け汁ごと入れ、冷蔵で3日、冷凍で2週間が目安。温め直しは電子レンジで。

豚ロース薄切り肉 \400gで/

炒める、焼く、揚げるなど万能に使える薄切り肉。加熱すると見た目が小さくなるので、野菜をたっぷり添えてボリュームアップを。

材料(作りやすい分量)
豚ロースしょうが焼き用肉(長さ半分に切る)	400g
A [酒・しょうゆ各大さじ2、しょうが汁大さじ1]	
片栗粉	大さじ4
サラダ油	1/3カップ

おすすめの添え野菜
太せん切りのキャベツ、ちぎった大葉

作り方

1 ボウルに豚肉、Aを入れてもみ込み、片栗粉を全体にまぶす。

2 フライパンにサラダ油を入れ、豚肉を広げながら中火でカリッと揚げる。

保存は
保存袋に入れて冷蔵で3日、冷凍で2週間が目安。温め直しは電子レンジか、または魚焼きグリル、オーブントースターがおすすめ。

さめてもおいしい！お弁当にもおすすめ

豚肉のカリッと竜田揚げ

揚げものは面倒でも、薄切り肉なら少ない油で早く火が通るので後始末も手軽。保存後はオーブントースターか魚焼きグリルで温め直すとできたてのよう！

洋風しょうが焼き

マーマレードの甘みをたれに生かして

焼いたら脂を取るとたれがよくからみます。マーマレードのほかにりんごジャムでもOK。

2 フライパンにサラダ油を熱し、豚肉を広げて入れ、中火で両面がややカリッとするまで焼く。余分な脂を取る。

3 Aを加えてフライパンをゆすりながら照りを出す。

材料(作りやすい分量)

豚ロース薄切り肉　400g
小麦粉　適量
A［しょうが汁小1かけ分、マーマレード大さじ3、酒大さじ2、しょうゆ大さじ1と½］
サラダ油　大さじ½

おすすめの添え野菜　レタス

作り方

1 豚肉は小麦粉を全体に薄くまぶす。Aは合わせ混ぜておく。

保存は
保存容器にたれごと入れ、冷蔵で3日、冷凍で2週間が目安。温め直しは電子レンジで。

豚肉の簡単クリーム煮

ルウより簡単、とってもスピーディ！

クリームソースは小麦粉と牛乳で手軽に。粉っぽさがなくなるまで炒めるのがコツ。

2 肉の色が完全に変わって全体がしんなりしたら小麦粉をふり入れ、粉っぽさがなくなるまで炒める。

3 牛乳、コンソメの素を加え、混ぜながら2～3分煮る。塩、こしょうで味をととのえる。

材料(作りやすい分量)

豚ロース薄切り肉(3等分に切る)　400g
玉ねぎ(薄切り)　小1個
エリンギ(2cm長さに切る)　大1本
小麦粉　大さじ2
牛乳　⅔カップ
顆粒コンソメの素　小さじ½
塩　小さじ⅓
こしょう　少々
サラダ油　適量

おすすめの添え野菜　クレソン

作り方

1 フライパンにサラダ油を熱し、中火で玉ねぎ、エリンギを炒める。全体に油が回ったら豚肉を加えて炒める。

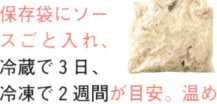

保存は
保存袋にソースごと入れ、冷蔵で3日、冷凍で2週間が目安。温め直しは電子レンジで。

豚かたまり肉 \400gで/

一度に使いにくいかたまり肉は、塩豚にすると、そのまま食べてもアレンジしても、おいしくてお得!! 特売の日に挑戦してみて!

材料（作りやすい分量）

豚（肩ロースまたはバラ）かたまり肉	400g
塩	小さじ1と½
酒	大さじ2

おすすめの添え野菜 ゆでて縦半分に切ったオクラ

作り方

1 豚肉は塩をふって全体にすり込み、ペーパータオルで包む。冷蔵庫に3〜4時間おく。

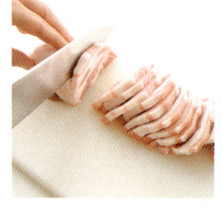

2 取り出して7〜8mm厚さに切る。

3 フライパンに水½カップ、酒を入れて2を並べ、火にかける。煮立ったらふたをし、3分ほど蒸し煮にする。火を止めてそのままさます。

保存は
保存袋に入れて冷蔵で4日、冷凍で2週間が目安。温め直しは電子レンジで。

いろんな料理にアレンジしても！
塩豚

かたまり肉をスライスして薄切りにすれば、フライパンでラクラク調理できます。野菜を添えておつまみ風に出しても。

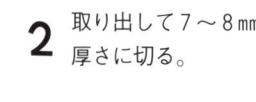

塩豚アレンジ

肉に味がついているので、下味つけの手間が省けます！

塩豚チャーハン

塩豚スライスをさらに細かく粗みじん切りにすると、チャーハンの具にぴったり。味つきの焼き豚や厚切りハムのように気軽に使えます。

作り方

1. フライパンにサラダ油を入れて熱し、溶いた卵を加えて箸でざっと混ぜる。ふんわりしたらご飯を加えて手早く炒める。

2. 卵とご飯が混ざったら塩豚、にらを加えて炒め合わせ、Aで調味する。

材料（1人分）
塩豚（小さめの角切り）　2枚
卵　　　　　　　　　　1個
温かいご飯　茶碗1杯分
にら（1cm長さに切る）
　　　　　　　　　　2〜3本
A［塩小さじ⅓、こしょう・しょうゆ各少々］
サラダ油　　　　大さじ1

中華風サラダ

太めのせん切りできゅうりとあえれば、ボリュームたっぷりの即席サラダが完成！ドレッシングは市販の好みのものでもOK。

作り方
ボウルに塩豚、レタス、きゅうりを入れてあえ、食べるときに合わせ混ぜたAをかける。

材料（2人分）
塩豚（太めのせん切り）
　　　　　　　　　　2〜3枚
レタス（食べやすくちぎる）
　　　　　　　　　　大2枚
きゅうり（斜め薄切りにしてせん切り）　½本
A［ポン酢⅓カップ、ごま油・白すりごま各大さじ1］

豚ひき肉 \ 400gで /

いつでも食べたい肉だんご、マーボーソースは、400g使ってたっぷり作っておくと便利。状態が変わりにくいので冷凍にもおすすめ。

材料（作りやすい分量）

豚ひき肉	400g
れんこん（粗みじん切りして酢水にさらす）	70g
A［酒大さじ1、卵1個、塩・こしょう各少々、片栗粉小さじ2］	
サラダ油	大さじ2〜3

おすすめの添え野菜
ざく切りした水菜、ポン酢をかけた大根おろし

作り方

1 ボウルにひき肉、Aを入れてよく練り混ぜる。水けをきったれんこんを加えてまんべんなく混ぜる。

2 大さじ1強くらいのたねを取り、片手で強めににぎって簡単に丸めて形を整える。

3 フライパンにサラダ油を熱し、中火で2を2分ほど揚げ焼く。最初はいじらず、まわりが少しカリッとしてくずれなくなったら裏返し、さらに2分ほど焼く。

保存は
保存袋に入れて冷蔵で4日、冷凍で2週間が目安。
温め直しは電子レンジで。

シャキシャキの歯ざわりがたまらない！
れんこんミートボール

ボールは大ざっぱに丸めるだけで大丈夫。
たねがやわらかいので、揚げ焼きするときは
表面がかたまるまでいじらないのがコツ。

肉・豚ひき

ご飯にかけたり、麺にのせてもおいしい
トマトマーボー

おかずとしても、豆腐や野菜に肉みそ風にのせても！
トマトを加えたらふたをして水分を十分出し、
うまみを加えるとおいしく仕上がります。

作り方

1 Aを合わせ、片栗粉をしっかり混ぜ合わせる。

2 フライパンにサラダ油を熱し、中火でしょうが、長ねぎを炒める。香りが出てきたらひき肉を加え、ポロポロになってきたらトマトを加え、ふたをして弱火で3〜4分蒸し煮にする。

3 Aをもう一度混ぜて2に加え、3〜4分ほど煮てごま油を加える。

材料（作りやすい分量）	
豚ひき肉	400g
トマト（ざく切り）	大2個
A [顆粒鶏ガラスープの素小さじ½、しょうゆ・砂糖・みそ各大さじ1と½、豆板醤小さじ½〜1、酒大さじ1、片栗粉小さじ1と½]	
しょうが（みじん切り）	1かけ
長ねぎ（薄い小口切り）	⅓本
サラダ油	大さじ1
ごま油	少々

保存は
保存容器に入れて冷蔵で4日、冷凍で2週間が目安。温め直しは電子レンジで。

鶏もも肉 \2枚で/

なにかと使いやすい鶏もも肉は2枚分を一気に調理。4人家族なら材料を倍量にして、多めに作りおきしましょう。

材料（作りやすい分量）
鶏もも肉	2枚

A［しょうゆ大さじ1と½、砂糖小さじ1と½、コチュジャン小さじ1、白すりごま・ごま油各大さじ1］

B［酒大さじ1、ゆずこしょう小さじ½〜1、塩小さじ⅓］

おすすめの添え野菜　ミックスリーフ

作り方

1 鶏肉は余分な脂を除き、フォークで何か所か刺す。

2 ポリ袋に肉を1枚ずつ入れ、A、B（Bは先に混ぜておく）のたれをそれぞれ加えてもみ込む。5分ほどおく。

3 魚焼きグリルを2分予熱し、2を強火で8〜9分焼く。裏返して5〜6分焼く（両面グリルの場合は8〜9分）。途中焦げそうになったら、上にアルミホイルをかぶせる。取り出して食べやすい大きさに切る。

保存は
1枚ずつ保存袋に入れて冷蔵で3日、冷凍で2週間が目安。温め直しは魚焼きグリルかオーブントースターで。

味つけを変えて一度に2枚焼いちゃおう！

ゆずこしょう＆韓国風のグリルチキン

1枚はゆずこしょうだれに、1枚はコチュジャンでピリ辛韓国風に。味つけを変えると飽きません！グリルが小さい場合は1枚ずつ焼いて。

肉・鶏もも

塩味だからさっぱり食べられます！

塩から揚げ

下味を変えるだけで、ひと味違うから揚げに。
鶏肉は2枚分一度に入れると
油の温度が上がりすぎず、生焼けが防げます！

材料（作りやすい分量）

鶏もも肉（小さめのひと口大に切る）	大2枚
A ［塩小さじ1と½、酒大さじ2、粗びき黒こしょう少々］	
片栗粉	大さじ1と½
揚げ油	適量

おすすめの添え野菜 半分に切ったプチトマト

作り方

1 鶏肉はボウルに入れ、合わせたAをよくもみ込む。

2 揚げる直前に1に片栗粉を加えて全体にもみ込む。

3 フライパンに揚げ油を160～165℃に温め、2をすべて入れる。色づいてきたら箸で返し、3分ほど揚げて中まで火を通す（箸で持ち上げて軽ければ火が通っている）。

保存は
保存袋に入れて冷蔵で3日、冷凍で2週間が目安。温め直しはオーブントースターで。

から揚げアレンジ

食べやすく切って水菜やレタスのサラダに入れたり、小さく切って焼きそばやチャーハンの具に。また、炒めものに入れると、とろっとした食感に仕上がる。

鶏胸肉 \2枚で/

安い鶏胸肉は作りおき向きのgood素材。さっぱりマリネにコクのあるチーズ炒めと、違う味をレパートリーにすれば飽きません。

材料（作りやすい分量）

鶏胸肉（そぎ切り）	2枚
A［酢大さじ5、砂糖小さじ1と½、しょうゆ大さじ½、ごま油大さじ3と½、白すりごま大さじ1、豆板醤小さじ⅓〜½］	
長ねぎ（縦半分に切って斜め切り）	⅓本
にんじん（斜めせん切り）	⅓本
ザーサイ（味つき・食べやすい大きさに切る）	40g
片栗粉	適量

作り方

1 Aはバットに合わせて混ぜておく。

2 長ねぎ、にんじんはボウルに入れてふんわりラップをかけ、電子レンジで1分30秒加熱する。取り出して熱いうちに1に加え、ザーサイも加える。

3 フライパンに湯適量を沸かし、鶏肉に薄く片栗粉をまぶして4分ほどゆでる。ペーパータオルに取り出し、熱いうちに2に加えて10分ほどおく。

保存は
保存袋に漬け汁ごと入れ、冷蔵で4日、冷凍で2週間が目安。食べるときは自然解凍で。

柔らかくてヘルシー！ やみつきになるおいしさ

鶏胸肉の しっとり中華マリネ

胸肉は加熱しすぎるとパサつくのが難点ですが、片栗粉をまぶしておけば表面がコーティングされてやわらかな食感に。ぜひ試してみて！

肉・鶏胸

粉チーズでコクのある味わいに！
鶏胸肉と豆の
チーズ炒め

常備できるふたつの缶詰と粉チーズがあればすぐに作れる簡単おかず。胸肉は細切りにすると2枚でもボリュームたっぷりになります！

作り方

1 鶏肉はボウルに入れて塩、こしょうをやや強めにふり、サラダ油をもみ込む。Aは別の器に合わせ混ぜる。

2 フライパンを熱し、1の鶏肉を入れて中火で2〜3分しっかり炒める。キドニービーンズ、マッシュルームを加えて炒め合わせ、Aを加えて全体にからませる。

保存は
保存袋に入れて冷蔵で2日、冷凍で2週間が目安。温め直しは電子レンジで。

材料（作りやすい分量）
鶏胸肉（細切り）	2枚
塩・こしょう	各適量
キドニービーンズ（水煮）	1袋（100g）
マッシュルーム（スライス）缶	小1缶
A［粉チーズ・酒各大さじ3、顆粒コンソメの素小さじ1］	
サラダ油	大さじ1

おすすめの添え野菜
ゆでて食べやすく切ったブロッコリー

鶏手羽中肉 \30本で/

たまには骨つき肉を食べたい。そんなときは下処理いらずの手羽中はいかが？ 火も通りやすく、骨つきだからお皿に盛っても豪華！

材料（作りやすい分量）

鶏手羽中肉（塩、こしょう各少々をふる）	30本
カットトマト缶	1缶
にんにく（薄切り）	2片
顆粒コンソメの素	小さじ1
塩	小さじ1
こしょう	少々
オリーブ油	大さじ1と½

おすすめの添え野菜 粗みじん切りしたパセリ

作り方

1 フライパンにオリーブ油とにんにくを入れて火にかけ、炒める。

2 香りが出てきたら鶏肉を加えて皮が少し色づいてカリッとするまで焼きつける。

3 トマト缶を加え、煮立ったら顆粒コンソメの素を加えて10分ほど煮る。塩、こしょうで味をととのえる。あればパセリのみじん切りをふる。

保存は
保存容器にソースごと入れ、冷蔵で5日、冷凍で2週間が目安。温め直しは電子レンジで。

時間をおけば味がしみてうんとおいしい！
鶏肉のトマト煮込み

トマト缶で煮込むだけなので、初めて作っても成功間違いナシ！ にんにくが効いて、ビール、ワインなどのおつまみにも向きます。

肉・鶏手羽中

ビールのおつまみにも最高！ めちゃ簡単です
即席タンドリーチキン

ヨーグルトやカレーが入ったたれに漬けて焼くだけで、本格インド風のカレーチキン！焼くときは余分なたれを拭き取って。

材料（作りやすい分量）

鶏手羽中肉	30本
A ［プレーンヨーグルト(無糖) 1/3カップ、カレー粉・ケチャップ各大さじ1、おろしにんにく少々、塩小さじ2/3］	
サラダ油	大さじ1
おすすめの添え野菜 棒状に切ったきゅうり	

作り方

1. 鶏肉は保存袋に入れ、合わせ混ぜたAを加える。よくもみ込んで15〜30分ほどおく(長く漬けてもよい)。

2. フライパンにサラダ油を熱し、1の肉についたたれを少しこそげ落として焼く。箸で返しながら、両面に少し焦げ目がつくまで焼きつける。

保存は
保存袋に入れて冷蔵で3日、冷凍で2週間が目安。温め直しは電子レンジかオーブントースターで。

漬け込みアレンジ

しょうゆ大さじ2と1/2、みりん大さじ2に漬けて甘辛味にしても。また、たたいた梅肉をしょうゆでのばしたものや、ゆずこしょうを酒適量でのばしたものに漬けるとさっぱりとした大人の味わいに。

鶏ひき肉 \400gで/

大量パック売りはあまりされていませんが、安いときにたくさん買って作りおきを。さっぱりして、豚や合いびきとは違うおいしさ！

材料（作りやすい分量）

鶏ひき肉	400g
長いも（1cm厚さの輪切り）	200g
だし汁	⅔カップ
A［酒・砂糖各大さじ1、みりん大さじ1と½］	
しょうゆ	大さじ2
サラダ油	大さじ½

おすすめの添え野菜 長さ半分に切ったかいわれ菜

作り方

1. 長いもはビニール袋に入れて、すりこぎなどで粗く叩く。

2. フライパンにサラダ油を熱し、ひき肉を炒める。パラパラになったらだし汁を加えて少し煮込み、1の長いもを加える。

3. Aを順に加えて1分ほど煮たらしょうゆを加え、アルミホイルをかぶせて弱めの中火で6〜7分煮る。

保存は
保存容器に煮汁ごと入れて冷蔵で3日、冷凍で2週間が目安。温め直しは電子レンジで。

ほっこり優しい味わい。ご飯に合います
ひき肉と長いもの甘辛煮

甘辛く煮たそぼろに、長いものシャキッとした歯ごたえがマッチ。これに白いご飯があれば、ほかのおかずはいらないほど！

肉・鶏ひき

小さめにまとめると火が通りやすい！

照り焼きミニつくね

丸めたつくねを甘辛いたれで照り焼きに。小さめなので焼き鳥風に串に刺してもgood！お弁当のおかずにもぴったりです。

材料（作りやすい分量）

鶏ひき肉	400g
卵	1個
A［酒大さじ½、片栗粉小さじ2、塩・こしょう・しょうが汁各少々］	
B［酒・砂糖各大さじ1、みりん・しょうゆ各大さじ2］	
サラダ油	大さじ1

おすすめの添え野菜 筋をとってゆでたさやえんどう

作り方

1 ボウルにひき肉、卵、**A**を入れ、ねっとりするくらいよく練り混ぜて小判形にまとめる。**B**は合わせておく。

2 フライパンにサラダ油を熱し、1を静かに入れて中火で焼く。焼き色がついたら裏返し、ふたをして2〜3分、蒸し焼きにする。

3 ふたを取って**B**を回しかけ、ときどきフライパンをゆすりながら全体にからめる。

ミニつくねアレンジ

小麦粉、卵、パン粉の順にころもをつけて揚げれば味つけ不要のミニメンチカツに。小さめに切って炒めものの具にしてもおいしい。甘辛味なので、うどんにのせても！

保存は

保存容器に入れて冷蔵で3日、冷凍で2週間が目安。温め直しは電子レンジで。

牛切り落とし肉 \300gで/

牛肉300gといっても、切り落としなら豚肉と同程度のお値段だから安心。たっぷりの煮ものも牛肉で作ると絶品です！

材料（作りやすい分量）

牛切り落とし肉（食べやすく切る）	300g
にんじん（せん切り）	1/3本
ピーマン（せん切り）	2個
春雨（ショートタイプ）	30g
A［酒大さじ2、砂糖大さじ1強、しょうゆ大さじ3、おろしにんにく小1片、白すりごま・ごま油各大さじ1］	
サラダ油	大さじ1

作り方

1 フライパンにサラダ油を熱し、中火で牛肉を炒める。肉の色が半分ほど変わったらにんじん、ピーマンを加え、野菜がしんなりしてきたら水1/2カップを加える。Aは合わせて混ぜておく。

2 煮立ってきたら春雨を加え、春雨がなじんで少しやわらかくなったらAを加えて弱めの中火で2〜3分煮る。

保存は
保存袋に入れて冷蔵で3日、冷凍で2週間が目安。温め直しは電子レンジで。

春雨はフライパンに直接入れて時短！
チャプチェ

牛肉、野菜、春雨を甘辛く煮込んだ、具だくさんの韓国風炒め煮です。切り落とし肉は火の通りが早いので、急いでいるときもすぐに作れますよ。

肉・牛切り落とし

作り方

1 フライパンに湯を沸かし沸騰したら、牛肉を加えて3分ほどゆでる。

2 ゆで上がったら1をざるにあげて水けをきり、ボウルに入れる。A、しょうが、にんにく、ごま油の順に加えてあえる。

保存は
保存袋に入れて冷蔵で3日、冷凍で2週間が目安。温め直しは電子レンジで。

ゆでてあえるだけ。香りで食欲をそそられる♪
牛肉の香味しぐれ煮風

しょうが、にんにくがたっぷり入った香味だれで、うま味バツグン！ 白いご飯がどんどん進みます。しっかり味つけするので保存も長もち。

材料（作りやすい分量）

牛切り落とし肉（食べやすく切る）	300g
A ［砂糖大さじ1、酢大さじ3、しょうゆ大さじ2］	
しょうが（みじん切り）	大1かけ
にんにく（みじん切り）	小2片
ごま油	適量

おすすめの添え野菜
サラダ菜、くし形に切ったトマト

合いびき肉 \400gで/

おすすめの作りおきは、ハンバーグとドライカレー。お弁当にもランチにも、もちろん晩ごはんにもオールマイティー！

材料（作りやすい分量）

合いびき肉	400g
ピーマン（5mm角に切る）	3個
赤ピーマン（5mm角に切る）	3個
玉ねぎ（みじん切り）	1個
A［カレー粉大さじ2と½、塩小さじ1強］	
ケチャップ	大さじ1
サラダ油	大さじ1

作り方

1. フライパンにサラダ油を熱し、中火でピーマン、赤ピーマン、玉ねぎを炒める。しんなりしてきたらひき肉を加えてパラパラになるまで炒める。

2. Aを加えて炒め合わせ、ケチャップを加えて混ぜ合わせ、2分ほど煮る。

保存は

保存袋に入れて冷蔵で4日、冷凍で3週間が目安。温め直しは電子レンジで。

ピーマンたっぷり！　あっという間に作れます

ドライカレー

ピーマンで彩りと栄養バランスをアップ。隠し味のケチャップがまろやかな風味にしてくれます。パンにのせてもおいしい！

肉・合いびき

彩りカラフル！　お弁当にもおすすめ
ベジタブルバーグ

材料の野菜は変えてもOK。冷蔵庫に残った野菜があったら、それも刻んでたねに入れてしまいましょう。小さく作るとお弁当にも詰めやすくなります。

材料（作りやすい分量）

合いびき肉	400g
玉ねぎ（みじん切り）	小1個
にんじん（すりおろす）	1/3本
ほうれん草（ゆでて水けを絞りみじん切り）	約1/2株（80g）
卵	1個
A［パン粉1/4カップ、牛乳大さじ2、塩小さじ1/3、こしょう少々］	
B［ソース大さじ3、ケチャップ大さじ1と1/2］	
サラダ油	大さじ1

おすすめの添え野菜
半分に切ったうずらの卵、4等分に切ったプチトマト

作り方

1 ボウルにひき肉、玉ねぎ、卵、Aを入れて練り、にんじん、ほうれん草を加えて全体がもったりと重い感じになるくらいまでよく練る。

2 1を10等分し、両手でキャッチボールしながら空気を抜いて小さな楕円に成形する。

3 フライパンにサラダ油を熱し、弱めの中火で2を焼く。1分焼いたら裏返してふたをし、弱火で7〜8分焼く。火が通ったら混ぜたBを添える。

保存は
保存袋に入れて冷蔵で2〜3日、冷凍で2週間が目安。温め直しは電子レンジで。

鮭 4切れで

値段が手ごろで通年出回っている鮭は、作りおきしやすい素材。焼き鮭だけでなく、照り焼きやマリネなどにもぜひ使ってみて！

こってり、さっぱりいろいろあって飽きない
魚おかず

ヘルシー
おいしい

肉に比べるとボリュームが出ない、割高などで敬遠する人もいるけれど、やっぱり魚はおいしい！旬の安い時期を狙ってまとめ買いすればおトクです。

材料（作りやすい分量）

生鮭（半分に切る）	4切れ
A［酒・しょうゆ各大さじ1］	
小麦粉	適量
B［酒・みりん各大さじ2、砂糖大さじ1、しょうゆ大さじ3］	
サラダ油	大さじ1

おすすめの添え野菜　ざく切りしたみつば

作り方

1 鮭はバットにのせてAをふり、ときどき返しながら15分ほど漬ける。Bは合わせ混ぜる。

2 1を取り出して、ペーパータオルで汁けを拭き、小麦粉をまぶす。フライパンにサラダ油を熱し、ふたをして弱めの中火で鮭を両面焼く。

3 ふたを取り、余分な脂をペーパータオルで拭き取ってBを回しかける。火を強め、フライパンをときどきゆすりながら煮つめる。

保存は
保存袋に入れ、冷蔵で3日、冷凍で2週間が目安。温め直しは電子レンジで。

人気の照り焼きを手軽な鮭で
鮭の照り焼き

ぶりではおなじみの照り焼きを鮭で。あれば生鮭がおすすめですが、甘塩鮭、塩鮭しかないときは味をみて調整して。

44

さっぱり風味。お酒のおつまみにも
鮭とセロリの簡単マリネ

スペインではエスカベーシュとも呼ばれる
小魚の南蛮漬けを、鮭でお手軽に。
もともと冷製でいただくものなので、
冷蔵保存にも向きます。

魚・鮭

材料（作りやすい分量）

鮭（骨を除き、4等分のそぎ切り）	4切れ
セロリ（縦半分に切って斜め薄切り）	2本
A［酢・オリーブ油各大さじ5、砂糖・塩各小さじ2/3、こしょう少々］	
塩・こしょう	各少々
小麦粉	適量
揚げ油	適量

作り方

1. セロリは耐熱容器に入れ、ふんわりラップをかけて電子レンジで1分加熱する。Aを合わせ混ぜ、セロリとともにバットに入れる。

2. 鮭は塩、こしょうをふり、小麦粉を薄くまぶす。

3. フライパンに揚げ油を170℃に温め、2の鮭を3分ほど揚げる。油をきって1のバットにすぐに加え、ときどき混ぜながら10分ほど味をなじませる。

保存は
保存容器に漬け汁ごと入れ、冷蔵で5日、冷凍で2週間が目安。食べるときは自然解凍で。

鮭マリネのアレンジ

めんつゆでサッと煮て大根おろしをたっぷりのせたり、炒めたきのこや大根おろしといっしょにパスタにのせても。

ぶり \ 4切れで /

高価なぶりも冬の旬の時期なら、意外とリーズナブル。脂がのっているので、煮ものでも炒めものでも、肉と同じ感覚で使えます。

材料（作りやすい分量）

ぶり（3〜4等分に切る）	4切れ
大根（縦4等分し小さめの乱切り）	大½本（250g）
A［酒大さじ3、顆粒鶏ガラスープの素小さじ½］	
塩	小さじ⅓
サラダ油	大さじ1

作り方

1 フライパンにサラダ油大さじ½を熱し、中火でぶりを焼きつける。焼き色がついたらいったん取り出す。

2 フライパンの汚れを拭いて残りのサラダ油を熱し、大根を炒める。全体に油が回ったら水½カップ強を回し入れ、ふたをして弱火で約10分蒸し煮にする。

3 ぶりを加え、再び煮立ったらA、塩を加えて2〜3分煮る。器に盛り、粗びき黒こしょう（分量外）を多めにふり入れる。

保存は
保存容器に煮汁ごと入れ、冷蔵で3日、冷凍で2週間が目安。温め直しは電子レンジで。

大根にうまみがしみて、ほっこりおいしい☆

塩ぶり大根

味つけは塩と鶏ガラスープ。大根の甘みとともにさっぱり味わえます。ぶりは臭みを取るために先に表面だけ焼いておきましょう。

脂がのったぶりは中華風の味つけもいけます！

ぶりときのこの
オイスターソース炒め

定番のぶり照りに飽きたら、オイスターソースで中華風味に。きのこをたっぷり入れるとかさ増しになり、ボリュームのある魚おかずに！

魚・ぶり

材料（作りやすい分量）

ぶり（食べやすい大きさに切る）	4切れ
酒・しょうゆ	各大さじ1
しょうが（せん切り）	小1かけ
まいたけ（ほぐす）	1パック
しめじ（石づきを取りほぐす）	1パック
A [酒・砂糖・オイスターソース各大さじ1、しょうゆ大さじ½]	
サラダ油	大さじ1

おすすめの添え野菜　小口切りにした万能ねぎ

作り方

1　ぶりはバットに並べ、酒、しょうゆをふっておく。Aは合わせ混ぜておく。

2　フライパンにサラダ油大さじ½を熱し、中火でぶりを焼きつける。焼き色がついたらいったん取り出す。

3　フライパンの汚れを拭いて残りのサラダ油を熱し、しょうが、まいたけ、しめじを炒める。しんなりしたら2のぶりを戻し、Aを加えて少し煮つめるように炒め合わせる。

保存は
保存袋に入れて冷蔵で3日、冷凍で2週間が目安。温め直しは電子レンジで。

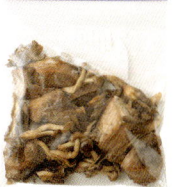

えび \10尾で/

えびが入ると彩りがよく、とても豪華なおかずに！ たけのこ、ブロッコリーなどかさが出る素材と合わせるとボリュームアップ。

材料（作りやすい分量）

えび（ブラックタイガー・殻と尾を除き、厚さ半分に切る）	小10尾
ブロッコリー（小房に分ける）	1個
だし汁	½カップ
酒	大さじ1
うずらの水煮卵	6〜8個
A［砂糖小さじ½、しょうゆ大さじ½、塩小さじ⅓］	

作り方

1. フライパンにだし汁、酒、ブロッコリーを入れ、ふたをして弱火で3分ほど蒸し煮にする。

2. 1にえび、うずらの卵を加え、ふたをして2分ほど蒸し煮にする。Aを加えて調味し、さらに2分ほど煮る。

保存は
保存容器に煮汁ごと入れ、冷蔵で3日、冷凍で2週間が目安。温め直しは電子レンジで。

だしの効いた優しい味わい。彩りもきれい

えびとブロッコリーの薄味煮

見た目は難しそうに見えるけれど、じつは簡単！
煮すぎると硬くなってしまうので
身を薄切りにして早く火を通しましょう。

魚・えび

えびとたけのこの
ベトナム風炒め

香菜を添えるとエスニックの香り！

えびはアジア風のエスニックな味つけと相性よし。
さっぱりと食べやすい味に仕上がります。
ナンプラーがない場合は薄口しょうゆでもOKです。

作り方

1. えびはボウルに入れ、酒、片栗粉を加えてもみ込む。Aは別の器に合わせ混ぜておく。

2. フライパンにサラダ油大さじ½を熱し、中火でえびを炒める。色が変わったらいったん取り出す。

3. フライパンの汚れを拭いて残りのサラダ油を熱し、たけのこ、玉ねぎを炒める。玉ねぎがしんなりしたら2のえびを戻し入れ、Aを回し入れる。火を少し強めて煮つめるように炒め合わせる。

保存は
保存袋に入れて冷蔵で3日、冷凍で2週間が目安。冷凍はたけのこをはずしたほうがよい。

材料（作りやすい分量）
えび（ブラックタイガー・殻をむく）	10尾
水煮たけのこ（根元を3mm厚さに切り、食べやすく切る）	100g
玉ねぎ（くし形切り）	小1個
酒	大さじ1
片栗粉	小さじ2
A［砂糖小さじ1、ナンプラー大さじ2、レモン汁1個分、赤唐辛子（みじん切り）1本、しょうゆ大さじ½］	
サラダ油	大さじ1

おすすめの添え野菜　ちぎった香菜

いか \2はいで/

いかは煮ても炒めてもおいしいから、作りおきにもぜひ使ってみて。ちょっとコツがいる下処理も、慣れれば簡単です！

定番の甘辛煮にみそを加えて深みを出します
いかの甘みそ煮

ご飯がすすむみそ味の煮もの。いかは煮すぎると硬くなるので、加熱時間をしっかり守るのがおいしく作るコツ。皮むきはしなくてOK。

材料（作りやすい分量）
するめいか（わたを取り、4〜5mm幅の輪切り）　　大2はい（または小3ばい）
いんげん（2〜3cm長さに切る）13〜15本（100g）
だし汁　　　　　　　　　　　　　　1と½カップ
A［酒大さじ2、砂糖大さじ1と½、みりん大さじ1］
しょうゆ　　　　　　　　　　　　　　大さじ½
みそ　　　　　　　　　　　　　　　大さじ1と⅓

作り方

1 フライパンにだし汁を入れて火にかけ、沸騰したらいんげん、いかを入れる。再び煮立ったらAを加え、ふたをして弱めの中火で3〜4分ほど煮る。

2 1にしょうゆを加え、ふたをしてさらに7〜8分煮る。ふたを取ってみそを溶き入れ、2〜3分煮る。

保存は
保存袋に入れて冷蔵で4日、冷凍で2週間が目安。温め直しは電子レンジで。

足はしょうゆ漬けに
いか2はい分の足は保存袋に入れ、しょうゆ、みりん、酒各大さじ1に1〜2日ほど漬けて焼くと、おいしいおつまみおかずに。また5mm長さに切ってにらと炒めても！

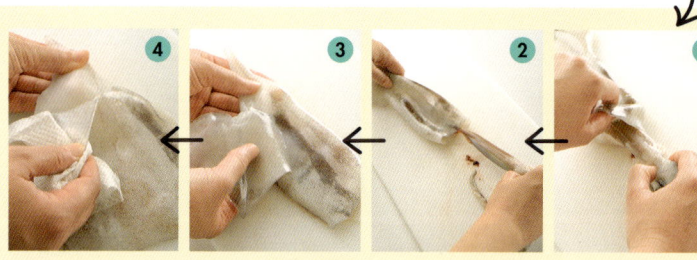

いかの下処理は

①胴に指を入れて足をはずす。②足を持ってゆっくり内臓を引き抜く。③胴の中に残った軟骨を取る。エンペラ（三角の頭の部分）と胴体に手で分ける。④先端の皮を少しはがし、ペーパータオルでつかむようにはがす。

魚・いか

合わせ調味料でサッと炒め煮にします
いかとパプリカの中華炒め

とろみがかった八宝菜風の塩炒めはクセがなく、飽きない味。合わせ調味料に先に片栗粉を混ぜておくと、とろみづけに失敗しません。

材料(作りやすい分量)
するめいか(わたを取り、皮をむいて3cm長さの棒状に切る)　　大2はい(または小3ばい)
パプリカ(種とわたを取り、3cm長さの棒状に切る)
　　　　　　　　　　　　　　　　　　赤黄各1個
A[水⅓カップ、顆粒鶏ガラスープの素小さじ1、塩小さじ⅓強、こしょう少々、片栗粉小さじ1]
サラダ油　　　　　　　　　　　　　　大さじ1

作り方
1 Aは片栗粉が溶けるまでよく混ぜ合わせておく。

2 フライパンにサラダ油を熱し、中火でパプリカを炒める。続いていかを加えて炒め、全体的にややしんなりしてきたら、再びAをよく混ぜて加える。2分ほど炒め煮にする。

保存は
保存袋に入れて冷蔵で3日、冷凍で2週間が目安。温め直しは電子レンジで。

さんま \4尾で/

秋になると、安くておいしいさんまが魚屋さんにずらり。旬の季節にまとめて買って、おいしく作りおきしましょう。

材料（作りやすい分量）

さんま（わたを取り半分に切る）	4尾
小麦粉	適量
しめじ（小房に分ける）	1パック
しょうが（みじん切り）	1かけ
長ねぎ（みじん切り）	⅓本
A［トマトケチャップ大さじ4、酒・砂糖各大さじ1、顆粒鶏ガラスープの素・ごま油・片栗粉各小さじ1、塩・こしょう少々、水1カップ］	
サラダ油	大さじ1と½

作り方

1. さんまは水けを拭き、薄く小麦粉をまぶす。Aは合わせておく。

2. フライパンにサラダ油半量を熱し、中火で1のさんまを焼く。ときどき返しながら両面3〜4分焼いていったん取り出す。

3. フライパンの汚れを拭いて残りのサラダ油を熱し、しょうが、ねぎを炒める。香りが出てきたらAをよく混ぜて加え、少し煮立ったらしめじ、2を加えて弱めの中火で3〜4分ほど煮る。

保存は
保存容器にソースごと入れて冷蔵で4日、冷凍で2週間が目安。温め直しは電子レンジで。

えびのかわりにさんまを使った節約おかず
さんまのチリソース煮

こってりチリソースはケチャップで簡単に味つけ。
さんまを焼く前に小麦粉をまぶすと、
ソースがよくからんで食べごたえ満点に！

魚・さんま

梅の酸味がさんまのこってり感を
ほどよくおさえて

さんまの梅おかかがらめ

魚おかずなのにご飯がすすむわけは、
たっぷりとからめた梅おかか。
細かく刻んでお茶漬けの具にしてもいけます！

材料（作りやすい分量）
さんま（わたをとり2.5〜3cm長さに切る）	4尾
小麦粉	適量
梅干し	中3個
A ［かつお節2パック（10g）、みりん大さじ3、酒大さじ2、しょうゆ大さじ½］	
サラダ油	大さじ1

おすすめの添え野菜　小口切りした万能ねぎ

作り方

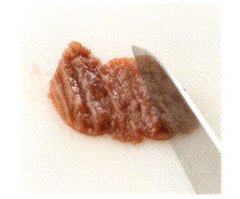

1　さんまは水けを拭き、薄く小麦粉をまぶす（胴の中にも粉をつける）。梅干しは種を取り、包丁でたたいてAと合わせておく。

2　フライパンにサラダ油を熱し、弱めの中火で1のさんまを焼く。箸で転がしながら両面3〜4分焼く。

3　フライパンの余分な脂をペーパータオルで取り、Aを回し入れる。火を強めて1〜2分フライパンをゆすりながら全体にからめる。

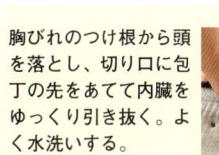

保存は
保存容器に入れて冷蔵で3日、冷凍で2週間が目安。温め直しは電子レンジで。

さんまの下処理は
胸びれのつけ根から頭を落とし、切り口に包丁の先をあてて内臓をゆっくり引き抜く。よく水洗いする。

さば ＼1尾で／

さばの栄養は青魚の中でも群を抜いて豊富。健康のためにもたくさん食べたいですね。2枚おろしのものを使えば下処理も不要。

材料（作りやすい分量）

さば（身から中骨を切り離し、2〜3cm幅のそぎ切り）	大1尾分（2枚おろし）
A ［小麦粉大さじ4、カレー粉小さじ2］	
塩	適量
サラダ油	大さじ1〜1と½

おすすめの添え野菜
スライスした玉ねぎ（塩少々をもみこみ、しんなりしたら水に2〜3分さらしてしっかり絞る）

作り方

1 さばは塩をふる。Aはバットなどに混ぜて、水けを拭いたさばにまぶす。

2 フライパンにサラダ油を熱し、弱めの中火で1のさばを皮目から焼く。カリッとするまで両面3〜4分焼く。

保存は

保存袋に入れて冷蔵で2日、冷凍で2週間が目安。温め直しは電子レンジで。

カリッと香ばしく焼いていただきます！

さばのカレー風味ソテー

カレー風味にすれば、青魚が苦手な人も食べやすい味に。作りおきした分は、小さく切って、カレーライスに入れてもおいしい！

魚・さば

さっぱりしたメインおかずがほしいときに
さばとえのきだけの塩レモン煮

さばの煮ものといえばみそ煮が定番ですが、塩レモンもおすすめ。さばは皮が厚いので煮くずれしにくく、じょうずに作れますよ。

材料（作りやすい分量）
さば（身から中骨を切り離し、2〜3cm幅のそぎ切り）	
	大1尾分（2枚おろし）
えのきだけ（根元を落として半分に切る）	
	1袋（100g）
A［酒大さじ2、顆粒鶏ガラスープの素小さじ1］	
レモン汁	大さじ2
塩	小さじ2/3
砂糖	少々

作り方

1 フライパンに水1カップ、Aを入れて火にかける。沸騰したらえのきだけを加え、しんなりしたらさばを加えてふたをして弱めの中火で3分ほど煮る。

2 1にレモン汁、塩を加えて再びふたをし、さらに3分ほど煮たら砂糖を加えて少し煮る。

保存は
保存容器に煮汁ごと入れて冷蔵で3日、冷凍で2週間が目安。温め直しは電子レンジで。

たこ ＼300gで／

下ごしらえいらずで使いやすいたこ。サラダやあえものだけでなく、300g分たっぷり買ってメインおかずも作ってみて！

材料（作りやすい分量）
ゆでだこの足（薄切り）	300g
小松菜（2〜3cm長さに切る）	1束（約200〜250g）

A ［長ねぎ（みじん切り）・白いりごま・ごま油各大さじ1、おろしにんにく少々、塩小さじ⅓、しょうゆ小さじ½］

作り方

1 フライパンに湯を沸かし、たこを20〜30秒ほどサッとゆでて取り出す。続いて小松菜を加えて2分ほどゆでて取り出し、しっかり水けを絞る。

2 Aを大きめのボウルに合わせ、1を加えてあえる。

保存は
保存袋に入れて冷蔵で3日、冷凍で2週間が目安。食べるときは自然解凍で。

人気のナムルにたこを入れてボリュームアップ

たこと小松菜のナムル

ナムルにたこを加えるだけで、メインおかずに昇格！臭み消しと殺菌のため、最初にサッとゆでますが、ゆですぎると硬くなるので注意して。

魚・たこ

紅しょうがと青のりでまさにたこ焼き！
たこのお好み揚げ

絶対にはずせないのは紅しょうが。これがあるだけで、本物のたこ焼きそっくりの味になります！ころもはたっぷりつけるとおいしい。

材料（作りやすい分量）

ゆでだこの足（2cm幅のぶつ切り）	300g
A［小麦粉大さじ3と½、卵1個］	
紅しょうが（粗みじん切り）	50g
青のり	大さじ3
揚げ油・ソース・マヨネーズ	各適量

作り方

1 ボウルにAを混ぜ、紅しょうが、青のりを加えて混ぜ合わせる。

2 フライパンに揚げ油を170℃に温め、たこを竹串で刺して1にからめて落とす。1〜2分揚げて油をきり、器に盛ってソース、マヨネーズを添える。

保存は
保存袋に入れて冷蔵で2日、冷凍で2週間が目安。温め直しはオーブントースターで。

column 1

作りおきおかずにたっぷり添えて。
添え野菜の
簡単アレンジアイデア

メインおかずに野菜が少ないときは、つけ合わせで彩りと栄養のバランスをとりましょう。切ってのせる、ゆでて添えるだけなら手間ナシ！　作りおきおかずもおいしく食べられます。

メインとのバランスはもちろん栄養や見た目の楽しさも考えて！

肉や魚のメインおかずはたいてい茶色なので、緑の葉野菜や赤のプチトマト、コーンの黄色などを加えるのがコツ。鮮やかな色が加わると立体感が出て、そのまま盛るよりずっとおいしそうに見えます。冷蔵庫に何種類か常備しておくと便利！

きゅうりスティック

プチトマト

ヤングコーン

切るだけ！そえるだけ
野菜

生でも食べられるサラダ向き野菜は、いちばん手軽。スティック状に細長く切ったり、半分に切ったり、料理に合わせて切り方を工夫すると変化が出ます。缶詰めやビン詰めをそのまま添えても。

ブロッコリー

さやえんどう

オクラ

サッとゆでて

ブロッコリー、さやえんどう、オクラ、いんげんなどは、電子レンジで加熱するか熱湯でゆでてから添えて。塩ゆですると色が鮮やかになり、ドレッシングなしで食べられます。

葉ものもたっぷり！

メインおかずのボリュームが足りないかな？　というときにも重宝する葉野菜。たっぷり刻んで肉といっしょに食べたり、かさを出したり。クレソンならおしゃれな演出にも。何かと使えます！

サラダ菜とトマト

水菜と大根おろし

大葉とキャベツ

ベビーリーフ

クレソン

かいわれ菜

香菜

三つ葉

香り野菜を添えて

香りや辛みがある香味野菜は、素材の臭み消しにも。和食なら大葉、みょうが、白髪ねぎ、大根おろし、エスニック系なら香菜、豆苗、洋食にはハーブ、スプラウトなどもおすすめ。

プチトマト

パセリ

万能ネギ

彩りトッピング！

代表はクセのない万能ねぎ。小口切りにしておかずに散らすだけでおしゃれに見えます。洋風おかずならパセリも便利。プチトマトは切り方を変えればトッピングにも。

下ごしらえがしてあれば、あとは炒める、あえるだけ！

「切っておく」「ゆでておく」…etc
でスピードアップ！

素材丸ごと使いきりのおかず

忙しくて料理を作る時間もない。冷蔵庫の野菜をいつもダメにしてしまう。そんな人は、買ったらすぐに下ごしらえをすませてしまいましょう。使いやすく切ったり、塩でもむなど小さな準備をしておくだけで、早さが段違い！　Part1の作りおきに加え、すぐできる作りたてもどうぞ。材料もムダなく使いきれますよ。

Part 2

＊各料理にある調理時間は、あらかじめ下ごしらえした素材を使って調理するときの目安です。
＊保存期間は、素材を下ごしらえして、そのまますぐに調理した場合の目安です。

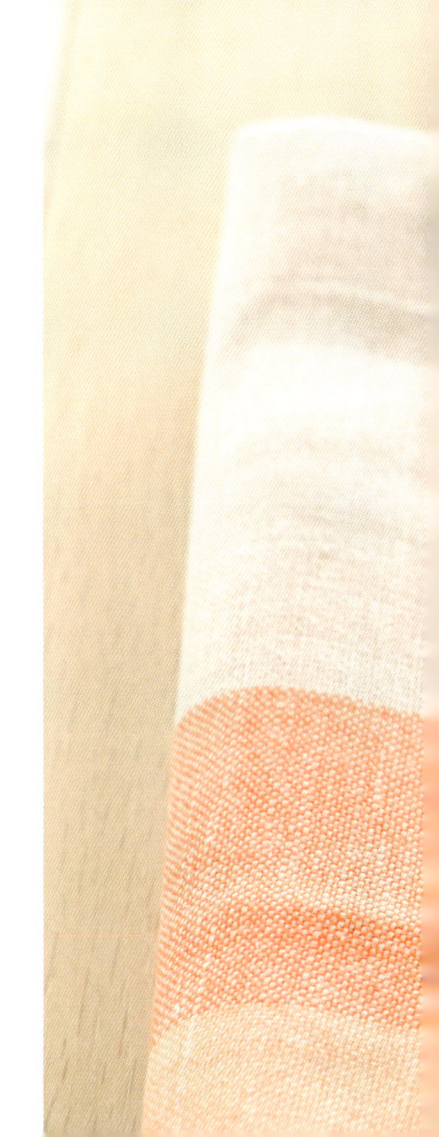

キャベツのおかず

\1玉/

安いときには1玉100円くらいで買えちゃう節約野菜。少人数で使いきるのは大変と思いがちだけど、炒めもの、蒸し焼き、サラダなど、おいしさを生かしたおかずで活用して!

下ごしらえは

1玉を4等分。それぞれ切り方を変えると便利!

キャベツは、切ると結構かさが出る野菜。¼個ずつ分けて、違う切り方や処理をすると、アレンジの幅もグンと広がります! 面倒なせん切りもやっておくと、あとがラク。

ⓐ ¼個 せん切り
せん切りにして保存袋に入れる。冷蔵で4日以内に使う。

ⓑ ¼個 ざく切り
ざく切りにして保存袋に入れる。冷蔵で5日以内に使う。

ⓒ ¼個 そのまま
そのまま保存袋に入れる。冷蔵で1週間以内に使う。

ⓓ ¼個 せん切りして塩もみ
せん切りにして塩小さじ½をもみ込み、30分ほどおく。水けを絞り保存袋に入れる。冷蔵で3~4日以内に使う。

キャベツのおかかあえ

合わせ調味料とかつお節であえるだけ!
和風サラダ感覚でいただけます。

クッキング 3分

¼個分のせん切りをあえる!

材料(2人分)
- キャベツ(せん切り・下ごしらえⓐ) ¼個
- A [しょうゆ・みりん(耐熱容器に入れて電子レンジで20秒加熱する)各大さじ1、砂糖・ごま油各小さじ½]
- かつお節 1パック(5g)

作り方
ボウルにAを合わせてかつお節を加えて混ぜる。キャベツを加えて全体を混ぜる。
保存する場合は冷蔵で2~3日。

キャベツのペペロンチーノ

にんにく、唐辛子とサッと炒めればでき上がり。
パスタとあえればランチにも。

キャベツ

クッキング 5分

作り方
フライパンにオリーブ油、にんにく、赤唐辛子を入れて弱火にかけ、香りが出たらキャベツを加えて強めの中火で炒める。塩、粗びき黒こしょうで調味する。
保存する場合は冷蔵で翌日食べきる。

¼個分のざく切りを炒めて！

材料（2人分）	
キャベツ（ざく切り・下ごしらえ❺）	¼個
にんにく（粗みじん切り）	小1片
赤唐辛子（小口切り）	1本
塩・粗びき黒こしょう	各適量
オリーブ油	大さじ½

¼個分を
半分に切って焼く

材料（2人分）
キャベツ（下ごしらえ C）	¼個
ピザ用スライスチーズ	2枚
塩・こしょう	各適量
オリーブ油	大さじ1

作り方

1 キャベツは縦半分に切る。フライパンにオリーブ油を熱し、塩、こしょうをふったキャベツを両面焼く。焼き色がついたら水大さじ1を加え、ふたをして3～4分蒸し焼く。

2 キャベツにチーズを1枚ずつのせ、再びふたをして1分ほどチーズが溶けるまで蒸し焼きにする。器に盛り、好みで粒マスタード（分量外）を添える。

チーズを溶かすのでその日中に食べる。

クッキング **10分**

キャベツチーズステーキ

蒸し焼きでキャベツの甘みもたっぷり。
チーズをのせれば立派なメインおかずに。

豚しゃぶサラダ

サッとゆでた豚肉にキャベツをのせるだけ。
豚肉はロースでもバラでもお好みで。

キャベツ

クッキング
5分

作り方

1 フライパンに湯を沸かし、沸騰したら豚肉をサッと湯通ししてざるにあげ、さます。

2 器に1を盛り、キャベツをのせる。合わせ混ぜたAをかける。

保存する場合は冷蔵で1〜2日。

¼個分の塩もみをそのまま！

材料（2人分）

キャベツ（せん切りして塩もみ・下ごしらえ d）	¼個
豚しゃぶしゃぶ用肉	150g
A［マヨネーズ大さじ２、レモン汁大さじ１、砂糖小さじ½］	
おすすめの添え野菜　半分に切ったプチトマト	

レタスのおかず

＼1個／

肉のつけ合わせやサラダに、何かと重宝するのがレタス。それだけでなく、炒めものや炒飯の具などにも使えるんです。下ごしらえしておけば、もっと活用できます！

下ごしらえは
1枚ずつはがして洗っておくだけ。簡単です

レタスは切ると断面が茶色く変色してしまうので、葉っぱのままはがして洗っておくだけ。水けが残っていると傷みの原因になるので、よく拭いて保存しましょう。

葉をはがす
葉をすべてはがして洗い、水けを拭いて保存袋に入れる（何袋かに分けてもよい）。冷蔵で4日以内に使う。

½個分の葉をそのまま！

材料（2人分）

レタス（食べやすくちぎる）	½個
レモン（絞りやすく切る）	1個
グラニュー糖（なければ砂糖）	適量

作り方
器にレタスを盛り、食べるときにレモンをたっぷりしぼる。グラニュー糖はスティックシュガーでOK。少し多めにふるとおいしい。
野菜から水分が出るのでその日中に食べる。

クッキング 2分

レモンシュガーサラダ

レタスに砂糖？ と思わずに、ぜひ試してみて！
やみつきになるおいしさです。

レタスとえびのジンジャーソテー

しょうがをたっぷり効かせた大人の味。
レタスもたくさん食べられます。

レタス

クッキング
5分

作り方

1 フライパンにごま油を熱し、弱めの中火でしょうがを炒める。香りが出てきたらえびを加え、2分ほど炒める。

2 レタス、酒を加えて強火で手早く炒め合わせ、すぐにAを加えてひと混ぜし、火を止める。

野菜から水分が出るのでその日中に食べる。

½個分の葉を炒めて

材料（2人分）	
レタス（大きめにちぎる）	½個
むきえび	100g
しょうが（みじん切り）	小1かけ
酒	大さじ½
A［塩少々、しょうゆ小さじ½］	
ごま油	大さじ1

大根のおかず

/1本\

煮もの、おろし、サラダ…。あるといろいろに使える野菜です。安いときに1本丸ごと買って、いろんなおかずにアレンジしましょう。火を通してあれば、煮ものだってすぐ作れます。

ⓒ 1/3本　小さめの乱切り
乱切りにして保存袋に入れる。冷蔵で4日、冷凍で1週間以内に使う。

ⓑ 1/3本　せん切りして塩もみ
せん切りして塩小さじ1/2をもみ込んで15分ほどおく。水けをしっかり絞り、保存袋に入れる。冷蔵で3日以内に使う。

ⓐ 1/3本　輪切りにして加熱する
7〜8mm厚さの輪切り（8枚）にし、十字に浅く切り込みを入れて耐熱皿にのせる。ふんわりラップをかけて、電子レンジで8分加熱する。取り出してさまし、保存袋に入れる。冷蔵で3日、冷凍で2週間以内に使う。

下ごしらえは↙
3等分して加熱、塩もみなど、形を変えて下処理しておきます

火を通すのに時間がかかる厚切りは、あらかじめレンジで加熱しておきます。あとは乱切り、せん切りして塩もみなど、すぐに調理にかかれる状態にしておきましょう。

1/3本分の輪切りを焼く

材料（1人分）
大根（輪切り・下ごしらえⓐ）	4枚
A［砂糖小さじ1、みりん大さじ1/2、しょうゆ大さじ1］	
ごま油	大さじ1
おすすめの添え野菜　ちぎった大葉	

作り方
フライパンにごま油を熱し、大根を焼く。両面に焼き色がついたらAを加えてからめる。
保存する場合は冷蔵で2〜3日。

クッキング 5分

大根ステーキ

ほんのり甘みのあるしょうゆ味。
すでに加熱してあるので、焼き目をつけるだけでOK！

大根と豚肉のクリーム煮

豚肉のうまみが大根にしみて、ほっこりおいしい。
作るのもあっという間です。

クッキング 15分

作り方

1 フライパンにサラダ油を熱し、豚肉を炒める。色が変わってきたら大根を加え、炒め合わせる。

2 余分な脂をペーパータオルで拭き、小麦粉をふり入れて炒める。粉っぽさがなくなってきたら、水½カップ、顆粒鶏ガラスープの素を加え、ひと混ぜしてからふたをして10分ほど弱火で蒸し煮にする。

3 竹串で大根を刺し、やわらかくなっていたら牛乳を加え、1〜2分煮る。塩を加えて味をととのえる。

⅓本分の乱切りを炒め煮に

材料（2人分）
- 大根（小さめの乱切り・下ごしらえ C） ⅓本
- 豚バラ薄切り肉（3cm長さに切る） 150g
- 小麦粉 大さじ1と½
- 顆粒鶏ガラスープの素 小さじ½
- 牛乳 ⅓カップ
- 塩 小さじ⅓
- サラダ油 大さじ½

おすすめの添え野菜
根元を切り落としたかいわれ菜

保存する場合は冷蔵で2〜3日。

大根とベーコンのさっぱりあえ

炒めたベーコンの脂ごと、塩もみ大根に混ぜるだけ。
サラダの代わりにどうぞ！

クッキング 5分

作り方

1 ボウルに水けを絞った大根、Aを入れて混ぜ合わせておく。

2 フライパンにオリーブ油を熱し、弱めの中火でベーコンを炒める。カリッとしてきたら脂ごと1に加えてよく混ぜる。塩で味をととのえ、粗びき黒こしょうをふる。

⅓本分の塩もみをあえて

材料（2人分）
- 大根（せん切りして塩もみ・下ごしらえ b） ⅓本
- ベーコン（5mm幅に切る） 60g
- A［酢大さじ2、砂糖大さじ1］
- 塩・粗びき黒こしょう 各適量
- オリーブ油 大さじ½

保存する場合は冷蔵で2〜3日。

ブロッコリーのおかず

\1個/

ブロッコリーはビタミン、ミネラルなどが豊富で栄養価が高いけど、日もちしないのが難点。買ってきたらすぐに下処理して、おいしく食べきりましょう。

下ごしらえは 半分に切って、½個は細かく刻んで、½個は下ゆで

ブロッコリーは茎も皮をむけばおいしく食べられます。縦半分に切って、半分は刻む、残り半分はゆでておくと、あえもの、炒めものなどに活用できます。

b ½個 ゆでる

花と茎に分け、花は小房に、茎は少し皮をむいて2cm長さに切る。沸騰した湯に塩少々を入れてゆでる。取り出してさまし、保存袋に別々に入れる。冷蔵で3日、冷凍で2週間以内に使う。

a ½個 粗みじん切り

茎の根元は皮のかたいところをむき、花と茎をいっしょに細かく刻んで保存袋に入れる。冷蔵で3日、冷凍で2週間以内に使う。

½個分の粗みじん切りを炒めて

ビタミンチャーハン

野菜はブロッコリーだけ。
茎と花の食感の違いで味わいも豊かになります。

クッキング 5分

材料（2人分）

ブロッコリー（粗みじん切り・下ごしらえ a）	½個
卵（よく溶いておく）	2個
温かいご飯	茶碗2杯分
塩	小さじ1
こしょう・しょうゆ	各少々
黒いりごま	大さじ½
サラダ油	大さじ1

作り方

1　フライパンにサラダ油を熱し、ブロッコリーを炒める。

2　油が回ったら溶き卵を加えてサッと混ぜ、ふんわりしたところでご飯を加えて手早く炒め合わせる。塩、こしょうで調味し、仕上げにしょうゆを垂らしていりごまをふる。

保存する場合は冷蔵で翌日食べきる。

ブロッコリーのきんぴら

茎のコリコリした食感がクセになります。
箸休めにおすすめの一品。

クッキング 3分

作り方

1. フライパンにサラダ油を熱し、ブロッコリー、赤唐辛子を炒める。

2. 油が回ったら酒、Aを加えて中火で炒め合わせる。仕上げに白いりごま（分量外）をふり入れる。

保存する場合は冷蔵で3〜4日。

½個分のゆでた茎を炒める

材料（2人分）
ブロッコリー（小房に分けて塩ゆで・下ごしらえ b）茎½個分
赤唐辛子（小口切り）　1本
酒　　　　　大さじ1
A［砂糖小さじ1、みりん・しょうゆ各大さじ½］
サラダ油　　大さじ½

ブロッコリーの梅しそマヨあえ

棚の隅に眠っているふりかけを活用して。
めちゃ簡単でおいしい！

クッキング 3分

作り方

1. ボウルにAを合わせ混ぜ、ブロッコリーを加えて全体をよくあえる。

野菜から水分が出るのでその日中に食べる。

½個分のゆでた花をあえる

材料（2人分）
ブロッコリー（小房に分けて塩ゆで・下ごしらえ b）花½個分
A［梅しそふりかけ小さじ1、マヨネーズ大さじ1と½、酢大さじ½］

じゃがいものおかず

\4個/

ストック野菜の定番。煮もの、炒めもの、サラダ、スープやみそ汁の具など、メインやサブからつけ合わせまで使える万能選手です。今回は男爵いもを使います。

ⓑ 2個 いちょう切りしてゆでる

いちょう切りして、熱湯で3〜4分ほどゆでる。ざるにあげて水けを拭き取り、保存袋に入れる。冷蔵で4日、冷凍で2週間以内に使う。

ⓐ 2個 マッシュポテト

皮をむいて1cm厚さのいちょう切りにし、耐熱ボウルに入れる。電子レンジで4〜5分加熱し、取り出して熱いうちにつぶす。冷蔵で4日、冷凍(自然解凍する)で2週間以内に使う。

下ごしらえは 2個ずつ、加熱して形を変えて保存しておきます

ホクホクした食感がおいしいじゃがいもですが、加熱するのが面倒ですよね。そこでおすすめなのが、あらかじめ火を通しておく方法。買ってきたらすぐやってしまいましょう!

2個分のマッシュポテトをあえるだけ!

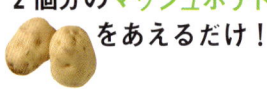

材料(2人分)

じゃがいも(ゆでてマッシュする・下ごしらえⓐ)	2個
ハム(食べやすく切る)	2枚
きゅうり(輪切り)	½本
マヨネーズ	大さじ2〜2と½

作り方

1. じゃがいもは耐熱ボウルに入れ、ふんわりラップをかけて電子レンジで1分加熱する。きゅうりは塩少々(分量外)でもんで2〜3分ほどおき、しんなりしたら軽く絞る。

2. 1のボウルにハム、きゅうり、マヨネーズを加えて混ぜ合わせる。

保存する場合は冷蔵で2〜3日。

クッキング 3分

即席ポテトサラダ

じゃがいもは温め直して味をなじませて。
きゅうりはP78の塩もみを使えばさらに時短!

じゃがいも

ジャーマンポテト

じゃがいもに火を通す手間がないので、あっという間。
おつまみにもおすすめですよ。

クッキング
6分

2個分のいちょう切りを炒める

材料（2人分）
じゃがいも（いちょう切りして下ゆで・下ごしらえ ⓑ） 2個
玉ねぎ（みじん切り） ¼個
ベーコン
（7〜8mm幅に切る） 2枚
A [白ワインまたは酒大さじ1、ワインビネガーまたは酢大さじ1、塩小さじ½、粗びき黒こしょう適量]
サラダ油 大さじ½
おすすめの添え野菜
みじん切りしたパセリ

作り方

1 フライパンにサラダ油を熱し、玉ねぎを炒める。しんなりしたらベーコンを加え、ベーコンがややカリッとしてきたらじゃがいもを加えて炒める。

2 全体に油が回ったら、Aを順に加えて1〜2分ほど全体がカリッとするくらいまで炒める。
保存する場合は冷蔵で2〜3日。

ピーマンのおかず

\8個/

年間通してお手ごろ価格のピーマンは、ビタミンCを豊富に含んでいるので、もっともっと取り入れたい野菜のひとつ。メインにもサブにも使えるから重宝しますよ。

ⓑ 4個 せん切り

せん切りして保存袋に入れる。冷蔵で5日、冷凍で2週間以内に使う。

ⓐ 4個 ざく切り

ざく切りして保存袋に入れる。冷蔵で5日、冷凍で2週間以内に使う。

下ごしらえは

ざく切りとせん切り。形を変えて切っておけば調理もラク！

1袋に4～5個入っているピーマン。あらかじめ切っておけば、使いきれなくて余っちゃったなんてこともありません。比較的長もちするのも、うれしいところ！

4個分のざく切りを炒め煮に

材料（2人分）

ピーマン（ざく切り・下ごしらえⓐ）	4個
ちりめんじゃこ	大さじ3（約20g）
A［酒・砂糖・みりん各大さじ1、しょうゆ大さじ1と½］	
サラダ油	大さじ1

作り方

1. フライパンにサラダ油を熱し、弱めの中火でちりめんじゃこを炒める。

2. カリッとしてきたらピーマンを加えて炒め、全体に油が回ってきたらAを順に加え、中火にして汁けがなくなるまで炒め煮する。

保存する場合は冷蔵で2～3日。

クッキング **3分**

ピーマンとじゃこの炒め煮

何か一品足りないなというときに、ササッと作れて重宝します。

74

簡単チンジャオロース

せん切りピーマンがあれば、チャチャッと炒めるだけ。
ごちそう一品作れます！

ピーマン

クッキング
5分

4個分のせん切りを炒めて

作り方

1 ボウルに牛肉、Aを入れてもみ込む。Bは合わせ混ぜておく。

2 フライパンにサラダ油を熱し、1の牛肉を炒める。肉の色が変わったらいったん取り出す。

3 2のフライパンにピーマンを入れて炒め、しんなりしたら肉を戻し入れ、Bを加えて手早く炒め合わせる。

野菜から水分が出るのでその日中に食べる。

材料（2人分）

ピーマン（せん切り・下ごしらえ❺）	4個
牛切り落とし肉	150g
A［酒・しょうゆ各大さじ½、片栗粉小さじ½］	
B［砂糖・ごま油各小さじ½、酒小さじ2、オイスターソース・しょうゆ各小さじ1、こしょう少々］	
サラダ油	大さじ½

玉ねぎのおかず 〈3個〉

生のままサラダにしてもおいしいし、火を通せば甘みが出てまた違う味わいを楽しめます。リーズナブルな玉ねぎをいろんな調理法で味わってみてください。

下ごしらえは

1袋3個。1個ずつ切り方と処理を変えると重宝します！

玉ねぎは皮をむいて切るという作業がちょっと手間。1個ずつ切り方を変えて、保存しておくと、調理の手間がグンと省けますよ！

a 1個 みじん切り
みじん切りして保存袋に入れる（半分ずつ分けてもよい）。冷蔵で3日、冷凍で2週間以内に使う。

b 1個 皮をむく
そのまま保存袋に入れる。冷蔵で1週間以内に使う。

c 1個 薄切りして塩もみ
薄切りして塩小さじ½をまぶし、15分ほどおく。水けを絞って保存袋に入れる。冷蔵で4日以内に使う。

チキンライス

みじん切りにしてあれば早い！
玉ねぎの甘みが加わっておいしく仕上がります。

½個分のみじん切りを炒める

材料（2人分）
玉ねぎ（みじん切り・下ごしらえ a）	½個
鶏胸肉（小さめに切る）	150g
温かいご飯	茶碗2杯分
ケチャップ・コーン	各大さじ3
塩・こしょう	各適量
サラダ油	大さじ1

おすすめの添え野菜　みじん切りしたパセリ

作り方

1 フライパンにサラダ油を熱し、玉ねぎを炒める。しんなりしてきたら鶏肉を加えて炒める。

2 肉の色が完全に変わったらケチャップを加えてなじませ、コーン、ご飯を加えて炒める。塩、こしょうで味をととのえる。

保存する場合は冷蔵で2日。

クッキング **7分**

オニオンドレッシング

½個分のみじん切りを混ぜるだけ

玉ねぎ（みじん切り・下ごしらえ a）½個とオリーブオイル大さじ3、酢大さじ3と½、砂糖½、塩・こしょう各少々を合わせ混ぜるだけ。簡単においしいドレッシングが作れます。冷蔵で2〜3日はOK。野菜サラダや薄切りトマト、冷ややっこなどにかけても！

オニオンサラダ

ちぎった葉っぱに塩もみ玉ねぎをのせるだけ！
肉料理などこってり味のつけ合わせにもおすすめ。

クッキング 2分

作り方
器にレタスを盛り、水けを絞った玉ねぎをのせる。食べるときにドレッシングをかける。
保存する場合は冷蔵で2〜3日。

1個分の**塩もみ**をそのまま！

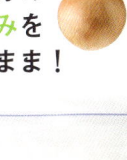

材料（2人分）
玉ねぎ（薄切りして塩もみ・下ごしらえ**c**） 1個
リーフレタスなど好みの葉野菜（食べやすくちぎる） 適量
好みのドレッシング 適量
おすすめの添え野菜
根元を切ったスプラウト

玉ねぎとソーセージのコンソメスープ

皮をむいてあるので、すぐに調理にかかれます。
玉ねぎの甘みがやさしい味わい。朝食にもどうぞ。

クッキング 10分

作り方
1 玉ねぎは4つ割りにする。鍋に水3カップ、顆粒コンソメの素を入れて火にかけ、沸騰したら玉ねぎを加えて弱めの中火で6〜7分煮る。ソーセージを加えてさらに2分ほど煮る。

2 塩、こしょうで味をととのえ、ピザ用チーズを加えて溶けたら火を止める。
保存する場合は冷蔵で2〜3日。

1個分の**玉ねぎ**を**4つ割り**にして

材料（2人分）
玉ねぎ（下ごしらえ**b**） 1個
ソーセージ 4本
顆粒コンソメの素 小さじ1
塩・こしょう 各少々
ピザ用チーズ 30〜40g

きゅうりのおかず 5本

1袋にたくさん入っているきゅうり。サラダで食べることが多いですが、炒めものやあえものにも使えます。めんつゆを使えば簡単漬けものもすぐ！

下ごしらえは↲
使い勝手のいい
小口切りの塩もみ、めんつゆ漬けの2種類に

2本は小口切りに。塩もみして水分を出しておくと、ほかの素材と混ぜるときにすぐ使えます。3本はめんつゆ漬けに。このまま食べてもおいしいですよ！

ⓐ 3本
乱切りしてめんつゆ漬け
ひと口大に乱切りし、保存袋に入れてめんつゆ（2倍濃縮）大さじ5〜6を加え、1時間ほど漬ける。冷蔵で4日以内に使う。

ⓑ 2本
小口切りして塩もみ
薄い小口切りして塩小さじ1/2をふり、15分ほどおく。水けを絞って保存袋に入れる（半分ずつ分けてもよい）。冷蔵で3日以内に使う。

きゅうり漬けと豚肉のサッと炒め

水分が多いきゅうりは炒めものに使ってもおいしいんですよ。ぜひお試しを！

クッキング 3分

2本分のめんつゆ漬けを炒める！

材料（2人分）
きゅうり（めんつゆ漬け・下ごしらえⓐ）	2本
豚バラ薄切り肉（食べやすい大きさに切る）	100g
A ［和風顆粒だしの素小さじ1/3、しょうが汁大さじ1/2］	
サラダ油	小さじ1

作り方
フライパンにサラダ油を熱し、豚肉を炒める。ペーパータオルで脂を拭き、汁けをきったきゅうりを加えて1分ほど炒め合わせる。Aを加えて調味する。

野菜から水分が出るのでその日中に食べる。

きゅうりの浅漬け

1本分のめんつゆ漬けはそのまま！

下ごしらえⓐで作っためんつゆ漬けは、もちろんそのまま食べてもおいしい一品。箸休め、おつまみにもいいですよ。

もずくときゅうりの酢のもの

さっぱりしたサブおかずが欲しいときにおすすめ。
こってりした肉おかずのおともにも！

クッキング 3分

作り方
ボウルにきゅうり、もずくを入れ、合わせたAを加えてあえる。器に盛り、しょうがをのせる。

保存する場合は冷蔵で翌日食べきる。

1本分の塩もみをそのまま！

材料（2人分）
きゅうり（小口切りして塩もみ・下ごしらえⓑ）　1本
もずく　50g
A［みりん（耐熱容器に入れて電子レンジで10秒加熱）大さじ1、酢大さじ1と½、砂糖小さじ1、しょうゆ小さじ½］
しょうが（みじん切り）　少々

簡単混ぜ寿司

ご飯に混ぜるだけでごちそう風。
おかずを作るのが面倒な日にはこれ！

クッキング 2分

作り方
ボウルにご飯、きゅうり、鮭フレークを入れ、よく混ぜる。器に盛り、いりごまをふる。

保存する場合は冷蔵で2日。

1本分の塩もみをご飯に混ぜて

材料（2人分）
きゅうり（小口切りして塩もみ・下ごしらえⓑ）　1本
鮭フレーク　大さじ3
温かいご飯　茶碗2杯分
白いりごま　少々

トマトのおかず \4個/

ビタミンのほか、抗酸化作用のあるリコピンを多く含むヘルシー野菜。生はもちろんのこと、軽く煮込めばソース代わりにもなるし、いろんな料理に活用できます。

下ごしらえは

ざく切りにして、**生のまま**と**蒸し煮**の2とおり準備しておくと便利！

生のまま切っておけば、サッと取り出してサラダもあっという間。蒸し煮は簡単なソース代わりになるので、パスタやスープなどに便利に使えます。

a 2個 蒸し煮
ざく切りにしてフライパンに入れ、ふたをして弱めの中火で10分ほど蒸し煮にする。さまして保存容器に入れる。冷蔵で1週間、冷凍で3週間以内に使う。

b 2個 ざく切り
ざく切りにして保存袋に入れる。冷蔵で3日、冷凍(炒めもの向き)で3週間以内に使う。

2個分の蒸し煮をソースに

材料(2人分)

トマト(蒸し煮する・下ごしらえa)	2個
スパゲティ	160g
モッツアレラチーズ(食べやすく切る)	100g
A [顆粒コンソメの素小さじ½、塩小さじ⅓、砂糖・黒こしょう各少々]	
オリーブ油	大さじ½
おすすめの添え野菜	バジルの葉

作り方

1 フライパンにトマトを入れ、中火で煮つめる。スパゲティは沸騰した湯に塩適量(分量外)を加え、袋の表示通りにゆでる。

2 トマトが半分ほどに煮つまったらAを加え、モッツアレラチーズ、オリーブ油を加える。

3 ゆで上がったスパゲティを2に加えてあえるようにからめる。

麺がのびるのですぐ食べる。

クッキング 15分

フレッシュトマトのスパゲティ

蒸し煮をさらに煮つめると、甘みも出ておいしいソースになります！

トマト卵の ふんわり中華炒め

トマトの酸味で
さっぱりおいしくいただけます！

クッキング
5分

作り方

1 卵は溶いて塩、こしょうを加えて混ぜる。

2 フライパンにサラダ油を熱し、**1**を入れる。箸で混ぜてふんわりしてきたらすぐに取り出す。

3 **2**のフライパンにトマトを入れてサッと炒め、鶏ガラスープの素をふり入れてひと混ぜする。**2**の卵を戻して手早く大きく混ぜ、塩で味をととのえる。

1個分の ざく切りを 炒めて

材料（2人分）
トマト（ざく切り・下ごしらえ❻）　1個
卵　2個
顆粒鶏ガラスープの素　小さじ⅓
塩・こしょう　各少々
サラダ油　大さじ1

野菜から水分が出るのでその日中に食べる。

トマトの はちみつレモンソース

フレッシュなトマトが手に入ったらぜひ！
フルーツみたいにおいしい！

クッキング
2分

作り方

器にトマトを盛り、合わせ混ぜた**A**をかける（時間があれば冷蔵庫で冷やす）。

保存する場合は冷蔵で3日。

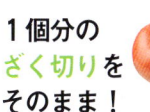

1個分の ざく切りを そのまま！

材料（2人分）
トマト（ざく切り・下ごしらえ❻）　1個
A[はちみつ・レモン汁各大さじ1、オリーブ油大さじ½]

白菜のおかず

\½個/

白菜がおいしい季節は甘みを増す冬。鍋はもちろんのこと、炒めもの、あえものなど、いろんな調理に使える野菜です。かさばる野菜だからこそ、下処理を早めに！

下ごしらえは

太せん切りの塩もみとざく切りの2タイプに。幅広く使えます

塩もみにして水分を出すと、かさがグンと減って保存もラク。あとはサッと調理に使えるように、ざく切りにしておきましょう。

b ⅓量　太せん切りにして塩もみ

長さ4cmほどの太せん切りにして塩小さじ½をふり、30分ほどおいて水けを絞る。保存袋に入れて冷蔵で3日、冷凍（自然解凍する）で2週間以内に使う。

a ⅔量　ざく切り

ざく切りにして保存袋に入れる。冷蔵で3日、冷凍で2週間以内に使う。

⅓量のざく切りを炒めて

材料（2人分）

白菜（ざく切り・下ごしらえa）	⅓量
ハム（放射状に6等分）	2枚
A ［ナンプラー大さじ½、しょうゆ小さじ1、砂糖小さじ½］	
サラダ油	大さじ½

おすすめの添え野菜　ざく切りにした香菜

作り方

フライパンにサラダ油を熱し、白菜のかたい部分から炒める。しんなりしてきたら葉とハムを加え、合わせたAを回しかけて手早く炒め合わせる。

野菜から水分が出るのでその日中に食べる。

クッキング 5分

白菜とハムのナンプラー炒め

調味料にナンプラーを使うだけで、ほんのりエスニックの香り！

ラーパーツァイ

白菜の中華風甘酢漬け。
しんなり、シャキシャキの歯ざわりでおいしーい！

クッキング 3分

作り方

1. 白菜は再度水けをよく絞ってボウルに入れ、Aを加えて混ぜ合わせる。

2. 小さいフライパンか鍋にごま油を入れて中火にかける。少し煙が出てくるまで熱したら1の白菜にジュッと回しかけ、手早くなじませる。

保存する場合は冷蔵で3〜4日。

⅓量の **塩もみ**を あえて

材料（2人分）
白菜（太せん切りして塩もみ・下ごしらえ b ）　⅓量
A［砂糖大さじ1と½、酢大さじ2、赤唐辛子（小口切り）½本］
ごま油　　大さじ1と½

白菜とほたてのポン酢蒸し

ほたては缶汁も加えてうまみたっぷりに！
白菜の甘みがたまりません。

クッキング 6分

作り方

フライパンに白菜、ほたて缶（缶汁も）、酒を入れて火にかけ、煮立ったらふたをして弱めの中火で2〜3分蒸し煮にする。仕上げにしょうゆを加えて火を止め、器に盛り、ポン酢を添える。

保存する場合はポン酢をかけずに冷蔵で2日。

⅓量の **ざく切り**を 蒸して

材料（2人分）
白菜（ざく切り・下ごしらえ a ）　⅓量
ほたて水煮缶　　1缶(85g)
酒　　　　　　　大さじ1
しょうゆ　　　　少々
ポン酢　　　　　適量

もやしのおかず

\2袋/

もやしといえば、安くて大人気なうえ、ローカロリーなのでダイエットにも最適！ あしが早いのが難点ですが、ゆでておけばそれも解消します。

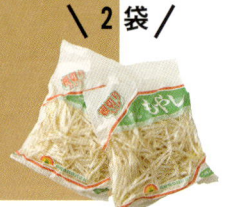

下ごしらえは
ヒゲ根を取ってゆでるだけ。水けはよく切って保存します

もやしはゆでておくだけで、もちがよくなるのでぜひ！ 添え野菜、みそ汁の具にもおすすめです。もやしのヒゲ根を取るのが面倒なら、根切りタイプを購入しましょう。

2袋　ゆでる
熱湯にもやしを入れ、2～3分ほどゆでてざるにあげる。さましてから保存袋に入れる。冷蔵で3日以内に使う。

1/3量のゆでたものを具に

材料（2人分）

もやし（下ゆでする）	120g
桜えび（乾燥）	15g
A [小麦粉1/2カップ、片栗粉大さじ3、卵1個]	
ごま油	大さじ1

作り方

1. ボウルにA、水1/4カップを入れて混ぜ、もやし、桜えびを加えてざっくり混ぜ合わせる。

2. フライパンにごま油を熱し、1を流し入れて強めの中火で両面に焼き色をつける。器に盛り、酢じょうゆ（分量外）を添える。

野菜から水分が出るのでその日中に食べる。

クッキング 6分

もやしと桜えびのチヂミ

人気の韓国チヂミレシピ。具にゆでもやしを使うと、ボリュームアップ。桜えびで風味よく！

84

もやしのナムル

肉のつけ合わせにおすすめ。
いつものサラダの代わりにササッと作って。

クッキング 5分

作り方
ボウルにAを合わせ混ぜ、もやしを加えてしっかりあえる。

保存する場合は冷蔵で2〜3日。

1/3量のゆでたものをあえて

材料(2人分)
もやし(下ゆでする) 120g
A[長ねぎ(みじん切り)大さじ1、おろしにんにく少々、白すりごま・ごま油各大さじ1、塩小さじ1/3、しょうゆ小さじ1/2]

もやしとツナの カレーマヨ炒め

ストック食材だけで作れる簡単な一品。
マヨで炒めるとコクが出ます！

クッキング 5分

作り方
フライパンにマヨネーズを中火で熱し、ふつふつしてきたらもやし、ツナ、Aを加えて炒め合わせる。

野菜から水分が出るのでその日中に食べる。

1/3量のゆでたものを炒めて

材料(2人分)
もやし(下ゆでする) 120g
ツナ缶 小1缶(80g)
A[顆粒コンソメの素・塩各小さじ1/3、カレー粉小さじ1]
マヨネーズ 大さじ1

にんじんのおかず

\3本/

カロチンを多く含む栄養価の高いにんじん。サラダにスープ、煮ものなど、いろんな料理に使いまわせる便利な野菜です。彩りが足りないときにもちょっとあると重宝！

ⓑ 1本 乱切りにしてゆでる

乱切りにして4分ほどゆでる。ざるにあげ、さましてから保存袋に入れる。冷蔵で5日、冷凍で2週間以内に使う。

ⓐ 2本 せん切り

せん切りにして保存袋に入れる。冷蔵で5日、冷凍で2週間以内に使う。

下ごしらえは 手間のかかるせん切りは先に。乱切りは下ゆでまでしておきましょう

せん切りは2本分まとめて。炒めもの、スープ、サラダと重宝しますよ。にんじんは比較的火が通りにくいので、乱切りしたら下ゆでまでしてから保存しましょう。

½本分のせん切りを炒め煮に

材料（2人分）	
にんじん（せん切り・下ごしらえⓐ）	½本
顆粒コンソメ	小さじ½
塩・こしょう	各少々
卵	1個
オリーブ油	大さじ½

作り方

1. 鍋にオリーブ油を熱して、にんじんを炒める。

2. 水2と½カップに顆粒コンソメを溶き、1に加える。沸騰したらアクを取り、塩、こしょうで味をととのえる。溶いた卵を細く流し入れ、ふんわり浮いたら火を止める。器に盛り、粗びき黒こしょう（分量外）をふる。

保存する場合は冷蔵で翌日食べきる。

クッキング 5分

にんじんの卵とじスープ

せん切りストックがあればスピーディー！忙しい朝にもおすすめです。

キャロットサラダ

塩でしんなりさせたせん切りにんじんを
ドレッシングでチャチャッとあえるだけ。

クッキング 5分

作り方
ボウルににんじん、塩を入れてもみ、3分ほどおいてしんなりさせる。軽く絞り、ドレッシングであえる。器に盛り、レーズンを散らす。

保存する場合は冷蔵で3〜4日。

1本分のせん切りをあえる

材料（2人分）
にんじん（せん切り・下ごしらえ◎）	1本
塩	少々
レーズン	少々
市販のフレンチドレッシング	適量

セロリとにんじんのマスタード炒め

サッと炒めて、味つけは粒マスタードのみ。
超簡単な一品ですよ！

クッキング 3分

作り方
フライパンにサラダ油を熱し、にんじんを炒める。しんなりしてきたらセロリを加えて炒め、マスタードを加えて混ぜるように炒める。

保存する場合は冷蔵で2〜3日。

½本分のせん切りを炒める

材料（2人分）
にんじん（せん切り・下ごしらえ◎）	½本
セロリ（せん切り）	大1本
粒マスタード	小さじ2
サラダ油	大さじ½

1本分の乱切りを炒め煮に

材料（2人分）
にんじん（乱切りして下ゆで・下ごしらえ❻）	1本
ちくわ（乱切り）	2本
A [砂糖小さじ1、みりん大さじ½、しょうゆ大さじ⅔]	
かつお節	適量
サラダ油	大さじ½

作り方
フライパンにサラダ油を熱し、ちくわ、にんじんを炒める。油が回ったらAを加え、炒め煮にする。器に盛り、かつお節をかける。

保存する場合は冷蔵で3〜4日。

クッキング 5分

ちくわとにんじんの甘辛炒め

にんじんは下ゆでしてあるので、調理時間も短縮。
甘辛味がご飯に合います。

なすのおかず \5本/

炒めたり、煮ものにしたり、浅漬けにしたりと、応用範囲の広い野菜のひとつ。油と相性がいいのが特徴です。5本を3つのタイプに下ごしらえして、使いきります。

下ごしらえは

ⓒ 1本 さいの目に切りオイル漬け

5〜6mm角に切って水に2〜3分さらす。バットに酢大さじ2、砂糖・こしょう各少々、塩小さじ¼、オリーブ油大さじ1、にんにく（みじん切り）小1片を合わせ混ぜ、水けをきったなすを加えて30分ほどおいて保存袋に入れる。冷蔵で3日以内に使う。

ⓑ 2本 薄切りにして塩もみ

薄切りにして塩小さじ½をもみ込み、15分ほどおく。水けを絞り、保存袋に入れる。冷蔵で3日以内に使う。

ⓐ 2本 乱切りにして炒める

フライパンにサラダ油大さじ1を熱し、ひと口大に切ったなすを弱めの中火で3〜4分じっくり炒める。しんなりしたら取り出し、さましてから保存袋に入れる。冷蔵で4日、冷凍で2週間以内に使う。

切り口が変色するので、油で炒めたり、塩もみしておきます

なすは油との相性がバツグン。炒めたり、オイル漬けにしておくと、うまみを封じ込めておけます。生は塩もみをして水分を出しておきましょう。

なすと豚肉のみそ炒め

なすは温め直す程度でOK。こってり甘辛味でご飯がすすみます！

クッキング 5分

2本分の炒めた乱切りを炒めものに

材料（2人分）

なす（乱切りにして炒めたもの・下ごしらえⓐ）	2本
豚こま切れ肉（食べやすく切る）	150g
A [砂糖・酒・みりん各大さじ1、しょうゆ小さじ1、みそ大さじ1]	
サラダ油	大さじ1

作り方

1 フライパンにサラダ油を熱し、中火で豚肉を炒める。

2 色が完全に変わったらなすを加えて炒め、Aを順に加える。最後に水大さじ1を加えて混ぜ、強火でときどき鍋をゆすりながら1〜2分炒める。

保存する場合は冷蔵で1〜2日。

2本分の塩もみをあえて

簡単あえもの2種

塩もみなすを1本分ずつ味つけを変えて。
お手軽箸休めの一品に！

クッキング 3分

クッキング 3分

塩もみなすの辛子あえ

作り方
ボウルにAを合わせ混ぜ、なすを加えてよくあえる。

材料（2人分）
なす（薄切りして塩もみ・下ごしらえb） 1本
A［しょうゆ大さじ½、辛子小さじ½］

保存する場合は冷蔵で2～3日。

なすのツナマヨあえ

作り方
ボウルにAを合わせ混ぜ、ツナを加えて混ぜる。なすを加えて、全体をよくあえる。

材料（2人分）
なす（薄切りして塩もみ・下ごしらえb） 1本
A［マヨネーズ、プレーンヨーグルト（無糖）、レモン汁各大さじ1］
ツナ缶（汁をきる） 小1缶（80g）

野菜から水分が出るのでその日中に食べる。

なす

1本分の**オイル漬け**をあえて

材料（2人分）
なす（オイル漬け・下ごしらえ **C**） ... 1本
水菜（3〜4cm長さに切る） ... 2株
スパゲティ ... 160g

作り方
スパゲティは沸騰した湯に塩適量（分量外）を加え、袋の表示通りにゆでる。ざるにあげてボウルに入れ、なす、水菜を加えてあえる。

麺がのびるのですぐ食べる。

クッキング 10分

なすと水菜のスパゲティ

オイル漬けさえあれば、麺をゆでてあえるだけ。
簡単ランチにもどうぞ。

ほうれん草のおかず　＼1束／

栄養があるほうれん草は、こまめに食べたい野菜です。買ったらすぐに下ゆでしておけば、フレッシュなおいしさを逃さずいただけます。

下ごしらえは
サッとゆでて水けを絞って保存しましょう

ほうれん草は独特のえぐみがあるので、サッと下ゆでしてアクを取ります。ゆでてあればおひたし、みそ汁の具などにもそのまま使えますよ。

1束 ゆでる

沸騰した湯でほうれん草を2分ほどゆでる。少し水にさらし、水けをしっかり絞って保存袋に入れる。冷蔵で3日、冷凍で2週間以内に使う。

½束分のゆでたものをそのまま

材料（2人分）
ほうれん草（ゆでて食べやすく切る）　½束
A［だし汁（さましたもの）½カップ、しょうゆ小さじ1、ゆずこしょう小さじ½〜1］

作り方
バットにAを入れ、ゆずこしょうをしっかり溶く。ほうれん草を加えてひたす。
保存する場合は冷蔵で2〜3日。

クッキング **3分**

ほうれん草のゆずこしょうおひたし

ゆでてあれば、合わせ調味料であえるだけ。ゆずこしょう風味の大人味！

ほうれん草と牛肉の韓国風炒め

ほうれん草は温まればOK！
簡単なのに本格的な味が楽しめます。

クッキング 6分

½束分のゆでたものを炒めて

作り方

1 牛肉はボウルに入れてAをもみ込んでおく。Bは合わせ混ぜておく。

2 フライパンにサラダ油を熱し、牛肉を炒める。肉の色が完全に変わったらほうれん草をほぐしながら加え、Bを回し入れて手早く炒め合わせる。

野菜から水分が出るのでその日中に食べる。

材料（2人分）

ほうれん草（ゆでて食べやすく切る）	½束
牛切り落とし肉（小さく切る）	150g
A［酒大さじ1、しょうゆ大さじ½］	
B［コチュジャン・砂糖各小さじ½、酒・しょうゆ各大さじ1、ごま油小さじ1、おろしにんにく少々］	
サラダ油	大さじ1

根菜ミックスのおかず

にんじん
ごぼう
れんこん

ほっこりした甘みのある根菜は、煮ものや汁ものに重宝します。火を通すのにちょっと時間がかかるので、前もって下ゆでしてミックスしておくと使い勝手バツグン！

下ごしらえは

同じような大きさにそろえて切り、ゆでておきます

同時に火が通るように大きさをそろえることがポイント。一度にゆでてよくさましてから保存しましょう。冷凍も可能なので、作っておくと便利！

小さめに切って下ゆで

- にんじん　小1本（約100g）
- ごぼう　小1本（約120g）
- れんこん　中1節（約150g）

にんじんは小さめの乱切り、ごぼうは洗って小さめの乱切り、れんこんは3～4mm厚さのいちょう切りにして酢水にさらす。鍋にすべて入れてかぶるくらいの水を注ぎ、中火でゆでる。沸騰したら3～4分ゆで、ざるにあげてさまし、保存袋に入れる。冷蔵で5日、冷凍で3週間以内に使う。

⅓量のミックスを汁の具に

材料（2人分）	
根菜ミックス	約125g
豚バラ薄切り肉（食べやすく切る）	80g
だし汁	2と½カップ
みそ	大さじ2～2と½
おすすめの添え野菜　小口切りにした万能ねぎ	

作り方

鍋にだし汁を沸かし、沸騰したら豚肉を入れてゆでる。再び煮立ったらアクを取り、根菜ミックスを加えて2分ほど煮る。仕上げにみそを溶き入れる。器に盛り、好みで七味唐辛子（分量外）をふる。

保存する場合は冷蔵で翌日食べきる。

クッキング **7**分

豚汁

根菜ミックスさえあれば、具だくさんの豚汁もあっという間。体が温まります。

根菜カレー

だし汁でのばす和風テイスト。
手間がかかりそうなカレーもすぐできちゃいます。

根菜ミックス

クッキング 10分

作り方

1 フライパンにサラダ油を熱し、豚肉を炒める。色が変わってきたら根菜ミックスを加えて炒め、小麦粉をふり入れて粉っぽさがなくなるまで炒める。

2 1にだし汁を加えて3分ほど煮たら、カレー粉を少しずつ加えて溶く。Aで調味する。器に盛り、ご飯を添える。

保存する場合は冷蔵で3～4日。

⅔量のミックスをカレーに

材料（2人分）	
根菜ミックス	約250g
豚バラ薄切り肉（食べやすく切る）	100g
小麦粉	大さじ2
だし汁	2と½カップ
カレー粉	大さじ1と½
A ［塩小さじ½、しょうゆ少々、ケチャップ小さじ1］	
ご飯	茶碗2杯分
サラダ油	大さじ1

きのこミックスのおかず

えのきだけ
しめじ
しいたけ

うまみのあるきのこ類は炒めものや汁もの、パスタなど、いろんな料理に使えます。何種類かミックスしておけば、絶対便利！ 冷凍保存もできますよ。

下ごしらえは
好みのきのこを
ほぐして混ぜるだけ！ 割合もお好みでOK

きのこは洗うと風味が落ちるので、そのままでOK。石づきや根元を落としてほぐすだけです。すぐに使いきれないときは冷凍して。

ほぐして混ぜる
- えのきだけ　　　1袋
- しめじ　　　　　2パック
- しいたけ　　　　1パック

えのきだけは根元を落とし、3等分に切る。しめじは根元を切って小房に分ける。しいたけは石づきを取って4等分に切り、すべて保存袋に入れる。冷蔵で4日、冷凍で2週間以内に使う。

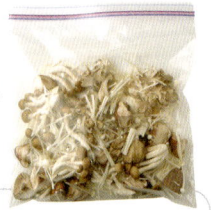

⅓量のミックスを汁の具に

材料（2人分）
きのこミックス	約50g
だし汁	2と½カップ
みそ	大さじ2
おすすめの添え野菜	小口切りにした万能ねぎ

作り方
鍋にだし汁を入れて火にかけ、沸騰したらきのこミックスを加える。再び煮立ったら1〜2分煮てみそを溶き入れる。

食感が変わるのでその日中に食べる。

クッキング 3分

きのこ汁

きのこの風味が香るうまみたっぷりのおみそ汁。具材を切る手間もなく手軽！

96

きのこミックス

²/₃量の
ミックスを
炒め煮に

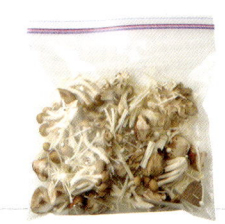

材料（2人分）
- きのこミックス　約100g
- 豚ひき肉　100g
- 長ねぎ（みじん切り）　1/4本分
- しょうが（みじん切り）　小1かけ
- にんにく（みじん切り）　小1片
- A［水1/3カップ、顆粒鶏ガラスープの素小さじ1/2、みそ・酒各大さじ1、しょうゆ・砂糖各大さじ1/2、豆板醤小さじ1/3～1/2、片栗粉小さじ1/2］
- サラダ油　大さじ1/2

作り方

1. Aは合わせ混ぜておく。フライパンにサラダ油を熱し、長ねぎ、しょうが、にんにくを炒める。香りが出てきたらひき肉を加えてポロポロになるまで炒める。

2. 1にきのこミックスを加えて炒め、しんなりしてきたらAを再び混ぜて加え、1分ほど煮る。

水分が出るのでその日中に食べる。

クッキング **7分**

マーボーきのこ

きのこの独特の食感がおいしさをアップ！
しょうがとにんにくは、急ぐときはチューブでもOK。

豆腐のおかず

絹ごし木綿各1丁

安くてヘルシーな豆腐は常備している方も多いですよね。しっかり水きりした豆腐で、炒めものや焼きものなど、バリエーションを広げてみて。

下ごしらえは
ペーパータオルで包んでしっかり水をきりましょう

豆腐をおいしくいただくコツは水きりをきちんとすること。そうすると、炒めものなど加熱したときにも水けが出ずにおいしく仕上がります。

2丁 水切りする

絹と木綿、それぞれペーパータオルに包み、バットに30分ほどおいて水切りする。ペーパーを取り替えて保存袋に入れる。冷蔵で2日以内に使う。冷凍は食感が変わることを前提に調理して。

1丁分の水切りした木綿豆腐を焼いて

材料（2人分）

木綿豆腐（水切りして厚さ半分に切る）	1丁
小麦粉	適量
A［焼き肉のたれ大さじ2、マヨネーズ大さじ1と½］	
サラダ油	大さじ½

おすすめの添え野菜
くし形に切ったトマト、斜め切りにした万能ねぎ

作り方

フライパンにサラダ油を熱し、薄く小麦粉をまぶした豆腐を入れる。両面がややカリッとするまで3〜4分ほど焼く。器に盛り、合わせたAをかける。

保存する場合はソースをかけずに冷蔵で翌日食べきる。

クッキング 7分

豆腐ステーキ

ステーキには食べごたえのある木綿を使って。
P112の食べるラー油をのせてもおいしい！

豆腐

1丁分の
水切りした
絹豆腐をあえる

材料(2人分)
絹豆腐(水切りする)　1丁
キムチ(細かく刻む)　70g
A［しょうゆ・ごま油各
　大さじ½］
のり(ちぎる)　適量

作り方
ボウルに豆腐をちぎって入れる。キムチを加えて混ぜ、Aを加えてあえる。器に盛り、のりを散らす。

水分が出るのでその日中に食べる。

クッキング
4分

キムチ豆腐

水きりした豆腐をキムチとあえるだけ。
ご飯のお供にサイコーです！

油揚げのおかず ＼4枚／

油揚げはうどんや汁もの、煮ものに入れるとうまみがプラスされる便利なコク出し食材。ストックしておくと重宝します。

下ごしらえは
食べやすい大きさに切っておく、甘く煮ておくだけでめちゃ便利！

2枚は大きさを変えて切るだけ。サッと煮たり焼いたりでおいしく食べられます。残り2枚は甘く煮て。うどんにのせたり、あえたり、いろいろに使えます。

カリカリ油揚げ

フライパンでカリッと焼くだけの香ばしいおかず。おつまみにもおすすめです。

クッキング 4分

作り方
フライパンに油揚げを入れ、弱めの中火でときどき返しながら3～4分焼き色をつける。器に盛り、長ねぎ、七味唐辛子（分量外）をふって、食べるときにポン酢をかける。

保存する場合は冷蔵で2～3日。

1枚分の切ったものを焼く

材料（2人分）
油揚げ（食べやすく切る・下ごしらえⓐ） 1枚
ポン酢 適量
おすすめの添え野菜
小口切りした長ねぎ

油揚げと水菜の煮びたし

煮るのは本当にサッと！
少し時間をおいて味がしみたころが食べごろ。

クッキング 4分

作り方
フライパンにAを入れて火にかけ、沸騰したら油揚げを入れる。ひと煮したら水菜を加え、2～3分煮る。

保存する場合は冷蔵で1～2日。

1枚分の細切りを煮て

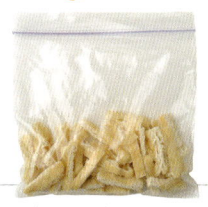

材料（2人分）
油揚げ（細切り・下ごしらえⓐ） 1枚
水菜（3cm長さに切る） 大1株
A［だし汁⅔カップ、みりん大さじ1、しょうゆ大さじ½、塩少々］

ⓑ 2枚 甘煮

ペーパータオルで油をしっかり拭き、1枚を4等分の三角に切る。鍋にだし汁1カップ、砂糖・みりん各大さじ1、しょうゆ大さじ2を煮立て、沸騰したら油揚げを入れる。アルミホイルで落としぶたをして弱めの中火で7〜8分煮る。バットに取り、さめたら保存袋に入れる。冷蔵で4日、冷凍(自然解凍する)で2週間以内に使う。

ⓐ 2枚 食べやすく切る

1枚は細切り、1枚は食べやすい大きさに切り、それぞれ保存袋に入れる。冷蔵で5日、冷凍で2週間以内に使う。

きつねうどん

味のしみた油揚げがあれば、あとは薬味だけでOK。夜食にもどうぞ!

クッキング 6分

作り方
うどんは袋の表示通りにゆでて(ゆでうどんもサッと熱湯に通す)器に入れる。温めためんつゆを加え、油揚げ、万能ねぎを盛る。

麺がのびるのですぐ食べる。

1と½枚分の甘煮をそのまま!

材料(2人分)
油揚げ(甘煮・下ごしらえⓑ)	1と½枚
うどん	2袋
めんつゆ(表示どおりに薄める)	適量
万能ねぎ(小口切り)	少々

わかめと油揚げのポン酢あえ

細かく切ってポン酢であえるだけ。甘煮油揚げのコクが加わっておいしい!

クッキング 3分

作り方
ボウルに水けをきったわかめ、油揚げを入れて混ぜ、ポン酢であえる。

食感が変わるのでその日中に食べる。

½枚分の甘煮をあえる

材料(2人分)
油揚げ(甘煮にして細切り・下ごしらえⓑ)	½枚
カットわかめ(水でもどす)	2g
ポン酢	適量

column 2

おかずが少なくても大丈夫！
混ぜるだけでおいしい 簡単彩りご飯

家に常備している「あの食材」を混ぜれば、白いご飯が主役級の存在に！　おかずが足りないときや朝ごはん、お弁当などにも使えるお助け混ぜテクを紹介します！

漬けもの、フレークなど好みの具材を混ぜるだけ！

白いご飯に食感のある食材を混ぜると、ふりかけよりもひと手間かけたおいしいご飯に！　缶詰、乾物、漬けものなど保存食材を常備しておくといつでも気軽に楽しめます。

ポリポリの食感が◎！

高菜ご飯

塩けとうま味がほどよい高菜は混ぜご飯の具にぴったり。のりをのせてもいけます！

材料と作り方（1人分）
刻んだ高菜大さじ2をご飯に混ぜる。

具をご飯に混ぜるだけ！

＼ここがポイント！／

"炊いたらすぐ冷凍"でおいしさキープ！

ご飯はまとめて炊いて、1食分ずつ冷凍しておくと、時間のないときや忙しいときに便利！　市販の1食分の保存容器や、ラップで包んで保存袋に入れて、冷凍しましょう。電子レンジで温めれば、炊きたてご飯と変わらないおいしさ！

バリエーションいろいろ。
好きな具を混ぜてアレンジするのも楽しい！

刻めるもの、細かいもの、小さいものならなんでもOK。ここではおすすめの組み合わせを紹介していますが、好みで自由に組み合わせて。

美食北海道の味
コーンバターご飯

あつあつご飯にバターコーンは好相性。
スパイシーな黒こしょうで味を引き締めて。

材料と作り方（1人分）
バター大さじ½は角切りにする。ご飯にバター、コーン大さじ1〜2、粗びき黒こしょうを混ぜる。

ついついおかわりしたくなる！
のりキムチご飯

キムチを混ぜれば即席ビビンバ風。
のり、いりごまなど好みのトッピングを楽しんで。

材料と作り方（1人分）
キムチ適量は刻み、のり少々は小さくちぎる。ご飯とキムチを混ぜてのりをのせる。

やみつきのおいしさ
黒ごまチーズご飯

意外な組み合わせだけど、食べるとクセになるおいしさ。
おにぎりにするのもおすすめ。

材料と作り方（1人分）
プロセスチーズ適量は7〜8mm角に切る。ご飯に黒いりごま、チーズをざっくり混ぜる。

ご飯にかけたり、パスタにからめたり！

Part 3

作っておくとめちゃ便利!
使いまわしがいろいろできる

具だくさんソース
＆
常備菜

スーパーに並んでいるレトルトソースやびん詰めのように、温めるだけ、ふたをあけるだけ。思い立ったらすぐに食べられる簡単ストックも作っておくと便利です。麺やご飯にのせてもよし、おかずにのせてもよし。冷蔵庫に常備してあれば、毎日のごはんはもう安心!

メインおかずにもワンプレートにも大活躍！
具だくさんソース

パスタやグラタンなどに
野菜たっぷりミートソース

たっぷりの合いびき肉と野菜を炒めてトマト缶で煮込むだけ。市販のミートソースよりおいしくて簡単だから、ぜひ作ってみて！

材料（作りやすい分量）

合いびき肉	400g
にんにく（みじん切り）	大さじ2
玉ねぎ（みじん切り）	½個
赤・黄パプリカ（7〜8mm角に切る）	各1個
白ワイン（または酒）	大さじ2
トマト缶	1缶
顆粒コンソメ	小さじ1
塩・こしょう・砂糖	各少々
オリーブ油	大さじ1

作り方

1 野菜を炒める
フライパンでオリーブ油、にんにくを熱し、香りが出てきたら玉ねぎ、パプリカを加えて炒める。

2 ひき肉を加えて
油が回ったらひき肉を加えてポロポロになるまで炒め合わせる。

3 トマト缶を加えて煮込む
白ワインをふり、少し炒めたらトマト缶を加え、5〜6分煮る。

4 味をととのえる
顆粒コンソメを加えてさらに7〜8分煮込み、塩、こしょう、砂糖で調味する。

保存は
保存容器に入れて冷蔵で5日、冷凍で2週間を目安に使う。冷凍は使いやすい量に小分けを。

こんな料理に
グラタン、ドリアのほか、パンにのせたり、オムレツやコロッケの具やソースにしても。

アレンジ

ミートソース

スパゲティ ミートソース

ゆでたスパゲティに
温め直したミートソースをかけるだけ。
お好みで粉チーズをかけてどうぞ。

作り方
鍋に湯を沸かし、塩適量(分量外)を加えて、スパゲティを袋の表示通りにゆでる。ざるにあげて器に盛り、ミートソースをかける。

材料(1人分)

ミートソース	適量
スパゲティ	80g

肉もたっぷり、ボリュームあります！

具ごろごろホワイトソース

肉も野菜も入れて具だくさんで作っておくと
おかずのように食べられるのがうれしい。
アレンジするときはチーズやパセリをのせても。

材料（作りやすい分量）

鶏もも肉（食べやすい大きさに切る）	大1枚（約300g）
玉ねぎ（薄切り）	½個
にんじん（せん切り）	⅓個
しいたけ（石づきを取って薄切り）	3個
小麦粉	大さじ3
牛乳	1と⅓カップ
塩・こしょう	各少々
サラダ油	大さじ1

作り方

1 具材を炒める
フライパンにサラダ油を熱し、玉ねぎ、にんじん、鶏肉を炒める。鶏肉の色が変わったらしいたけを加えて炒め合わせる。

2 小麦粉をふり炒める
鶏肉に火が通ったら小麦粉をふり、粉っぽさがなくなるまで炒める。

3 牛乳を加えて煮る
2に牛乳を加え、2～3分煮て塩、こしょうで味をととのえる。

保存は
保存容器に入れて冷蔵で4日、冷凍で2週間を目安に使う。冷凍は使いやすい量に小分けを。

こんな料理に
リゾット、パンの具に。牛乳でのばせばパスタソース、クリームシチューにも。

アレンジ

ホワイトソース

チキンドリア

レストランもかなわないおいしさ！
香ばしい焼き目がつくまで焼きましょう。

材料（1人分）

ホワイトソース	適量
ご飯	適量
ピザ用チーズ	適量

作り方

耐熱容器にご飯を敷いてホワイトソース、ピザ用チーズの順にのせる。オーブントースターで焼き色がつくまで焼く。

ごまの香りがふんわり。肉もたっぷり入ってます

バンバンジーソース

ヘルシーで高タンパクのささみを、たっぷりの
ごまだれといっしょにいただく栄養満点のソース。
中華おかずのバリエにぜひ加えて！

材料（作りやすい分量）

鶏ささみ（筋を取り4〜5cmの棒状に切る）	8本
長ねぎ（縦半分に切って斜め切り）	1本
A［顆粒鶏ガラスープの素小さじ½、酒大さじ2］	
B［白練りごま大さじ5、酢大さじ4、砂糖大さじ½、しょうゆ大さじ1と⅓、ごま油大さじ1］	
サラダ油	大さじ½

作り方

1 長ねぎを炒める
フライパンにサラダ油を熱し、長ねぎを炒める。

2 ささみを加えて蒸し煮に
しんなりしたら水½カップ、Aを加え、沸騰したらささみを加え、ふたをして弱めの中火で2〜3分蒸し煮にする。Bは合わせ混ぜる。

3 合わせ調味料をプラス
ふたを取り、Bをよく混ぜながら加える。2分ほど全体を混ぜながら煮る。

保存は
保存容器にたれごと入れて冷蔵で4日、冷凍は小分けにして2週間を目安に使う。

こんな料理に
きゅうりやトマトとあえてサラダにしたり、豆腐にのせてボリューム冷ややっこにしても。

アレンジ

バンバンジーソース

冷やしバンバンジーうどん

うどんをゆでてソースをかけるだけ。これだけで立派なごはんのでき上がり！

作り方
うどんは袋の表示通りにゆでてざるにあげ、流水にさらして水けをきる。器に盛り、バンバンジーソースをかける。

材料（1人分）
バンバンジーソース　適量
うどん　1玉
おすすめの添え野菜
根元を切ったスプラウト

いろんなトッピングに使えます。やみつきになるおいしさ！

簡単！食べるラー油

家で作ると、具を増やしたり辛みを調整したり、自分好みの味にできるのがいいところ。
簡単に作れるので気軽にチャレンジして！

材料（作りやすい分量）

にんにく（粗みじん切り）	5片
しょうが（粗みじん切り）	小1かけ
長ねぎ（ぶつ切り）	½本
桜えび（乾燥）	10g
A［白すりごま20g、しょうゆ大さじ1、一味唐辛子大さじ1］	
サラダ油	½カップ
ごま油	¼カップ

作り方

1 桜えびをいる
フライパンに桜えびを入れ、中火で2〜3分からいりする。

2 調味料を合わせる
1の桜えびを取り出して耐熱ボウルに入れ、Aを加えて混ぜ合わせる。

3 香味野菜を炒めて
フライパンにサラダ油、ごま油を入れて弱火にかけ、すぐににんにく、しょうが、長ねぎを加える。ときどき混ぜながら炒める。

4 すべてを合わせる
にんにくがきつね色になったら2のボウルに加えてよく混ぜる。

保存は
深めの保存容器に入れて冷蔵で1週間、冷凍で3週間を目安に使う。

こんな料理に
市販のもの同様に何に使ってもOK。冷ややっこやラーメンのトッピング、炒飯、卵焼きの具に。

アレンジ

食べるラー油

材料（1人分）
食べるラー油　　適量
ご飯　　　　　茶碗1杯

作り方
茶碗にご飯を盛り、食べるラー油をのせる。

あつあつご飯 ラー油がけ

最強のご飯の友。おかずがなくてもへっちゃらです。食べ過ぎに注意ですよ！

おかずが少ない日もこれさえあれば！

常備菜

ミネラルたっぷり！ 彩りもきれいです
カラフルひじき煮

定番惣菜のひじきに、コーンやいんげんを入れて彩りのいいおかずに。やさしい甘さで、ご飯といっしょにいただくほか、混ぜる具材として使うのもおすすめです。

材料（作りやすい分量）
芽ひじき（水でもどして水けをきる）	20g
にんじん（小さめの角切り）	1/3本
いんげん（6〜7mm幅に切る）	約8本（70g）
コーン缶	70g
だし汁	1と1/2カップ
A［砂糖大さじ1と1/2、みりん大さじ1、しょうゆ大さじ3と1/2］	
ごま油	大さじ1/2

作り方

1 ひじきを炒める
フライパンにごま油を熱し、にんじんを炒める。油が回ったら芽ひじきを加えて炒め合わせる。

2 だし汁を加えて煮る
いんげんとだし汁を加え、煮立ったらAを加えてアルミホイルで落としぶたをする。弱めの中火で7〜8分煮て、汁けがなくなったらコーンを加える。

保存は
保存容器に入れて冷蔵で5日、冷凍で2週間を目安に使う。冷凍は使いやすい量に小分けを。

こんな料理に
白いご飯に混ぜてひじきご飯に。ハンバーグ、春雨サラダ、あえものの具など多目的に使える。

アレンジ

ひじき

ひじき入り卵焼き

卵焼きの具にひじき煮を使います。味がついているので調味料いらず！

材料（2人分）

カラフルひじき煮	50g
卵	3個
サラダ油	大さじ1

作り方

1. ボウルに卵を溶き、ひじき煮を加えて混ぜる。

2. 卵焼き器にサラダ油を中火で熱し、1の卵液を1/3量流す。端が乾いてきたら奥から手前に向かって巻き、奥に寄せる。あいた部分に1/3量の卵液を流し、焼いた卵の下にも流し込んで巻く。残りの卵液を流し入れ、同様に焼く。

パリパリの歯ざわりがおいしい！
切干大根の南蛮漬け

コリコリとした切干大根ならではの食感が
楽しめる副菜。さっぱり味なので、
こってりしたおかずのつけ合わせにもぴったりです。

材料（作りやすい分量）

切干大根（水でしっかりもどす）	40g
長ねぎ（斜め薄切り）	1本
A［水大さじ3、酢½カップ、砂糖・しょうゆ各大さじ1と½、赤唐辛子（小口切り）1～2本］	

作り方

1 切干大根をゆでる

切干大根は流水の下でよくもみ洗いし、2分ほど熱湯でゆでる。

2 長ねぎに火を通す

長ねぎは耐熱ボウルに入れ、ラップをふんわりかけて電子レンジで1分加熱する。

3 すべてをあえる

ボウルにA、長ねぎを合わせ、1の切干大根の水けをしっかり絞って加え、全体を混ぜる。

保存は

保存容器に入れて冷蔵で5日、冷凍で2週間を目安に使う。冷凍は使いやすい量に小分けを。

こんな料理に

揚げもの、煮もののつけ合わせや、食べやすく刻んで、スープの具に。

アレンジ

切干大根

豚の竜田揚げ 南蛮ソース

ハリハリの大根と肉の食感が
ベストマッチ！
竜田揚げの作り方はP26を参照して。

材料(作りやすい分量)

切干大根の南蛮漬け	適量
豚ロースしょうが焼き用肉（長さ半分に切る）	400g
A［酒・しょうゆ各大さじ2、しょうが汁大さじ1］	
片栗粉	大さじ4
サラダ油	1/3カップ

作り方

1 ボウルに豚肉、Aを入れてもみ込み、片栗粉を加えて全体にまぶす。

2 フライパンにサラダ油を入れ、豚肉を広げながら中火でカリッと揚げる。

3 熱いうちに2を器に盛り、南蛮漬けをソースごとかける。

ホッとする甘辛味。ご飯にのせるだけでもおいしい！

卵入り鶏そぼろ

ご飯にぴったりのそぼろに、ほんのり甘い
いり卵を加えてさらにおいしく。
お弁当、丼をはじめ、幅広く使えますよ。

材料（作りやすい分量）

鶏ひき肉	400g
卵	2個
A［砂糖・酒・みりん各大さじ2、しょうゆ大さじ3、しょうが汁1かけ分］	
サラダ油	大さじ½

作り方

1 ひき肉をほぐし煮る

フライパンにAを入れて火にかけ、沸騰したらひき肉を加える。菜箸3本でほぐしながら煮ていったん取り出す。

2 いり卵を作って混ぜる

ペーパータオルで汚れを拭いてサラダ油を熱し、溶いた卵を流し入れる。菜箸3本で混ぜながら炒り卵にし、1を加えて全体をよく混ぜ合わせる。

保存は

保存容器に入れて冷蔵で5日、冷凍で2週間を目安に使う。冷凍は使いやすい量に小分けを。

こんな料理に

ご飯、焼きうどん、厚揚げにのせたり、そうめんにまぶしたり。酢のもののトッピングにも。

アレンジ

鶏そぼろ

あんかけそぼろ温やっこ

そぼろを水溶き片栗粉でまとめるだけ。温やっこにボリューム感が出ます。

作り方

1. 豆腐は耐熱皿にのせ、電子レンジで1〜1分30秒加熱する。取り出して器に盛る。
2. 小鍋に鶏そぼろ、水1/3カップを入れて火にかける。煮立ったら同量の水で溶いた水溶き片栗粉を加えて混ぜ、1にかける。

材料（2人分）	
絹豆腐（半分に切る）	1丁
卵入り鶏そぼろ	1/3カップ
片栗粉	小さじ1/2

人気の常備菜が簡単に作れます！
なめたけ

市販のびん詰めが人気のなめたけ。
じつは家でも、簡単に作れるんです。
えのきだけが安いときに、たっぷり作りおきを。

材料（作りやすい分量）

えのきだけ（根元を落とし3等分に切る）	4袋（400g）
酒	大さじ4
A［みりん大さじ3、しょうゆ大さじ3と½］	
酢	小さじ2

作り方

1 えのきだけをゆでる
フライパンに水適量を入れて火にかけ、沸騰したらえのきだけを入れて全体に広げる。

2 蒸し煮にする
酒をふって中火にかけ、少ししたら弱火にし、ふたをして3分蒸し焼く。

3 調味料を加える
Aを加えて再びふたをし、弱火で約10分煮る。仕上げに酢を加えてサッと煮る。

保存は
保存容器に入れて冷蔵で1週間、冷凍で3週間を目安に使う。冷凍は使いやすい量に小分けを。

こんな料理に
ご飯やお茶漬け、酢のものにのせたり、きゅうりとのあえもの、和風パスタの具にもマッチ！

アレンジ

なめたけ

なめたけおろし

ずばり、大根おろしになめたけをのせるだけ！
おつまみにもおすすめです。

材料（2人分）
なめたけ　　　　　適量
大根おろし　　　　適量
おすすめの添え野菜
ゆでて輪切りにしたオクラ

作り方
大根おろしは水けを絞る。
器に盛り、なめたけをかける。

鍋いらずですぐ作れます！
"お湯を注ぐだけ！"の簡単汁もの

column 3

コンビニでは、カップ入りのインスタントみそ汁が大人気。その発想を家ごはんにも取り入れちゃいましょう。具と調味料はお椀に直接入れて、お湯を注ぐだけ。鍋を洗う手間もナシ！

顆粒だしの素を使えば、和洋中の汁ものもあっという間です

だしをとるのが面倒と考えがちだけど、市販のだしの素を使えば簡単。みそ汁やお吸いものはかつおや昆布だしの素、洋風スープはコンソメの素、中華風なら鶏ガラスープの素で。このルールを覚えておけば何でも作れますよ。

さっぱりピリリ
ザーサイしょうがスープ

酸味と辛みのバランスがマッチ。存在感のあるうずらの卵を加えてシンプルリッチに！

材料と作り方（1人分）
しょうが（せん切り）小½かけ、ザーサイ（みじん切り）大さじ1、うずらの卵2個（水煮）、顆粒鶏ガラスープの素小さじ½を用意。

お椀に具と顆粒だしを入れて熱湯を注ぐだけ！

バリエーションいろいろ。
具はお好みで。サッと作れるのがうれしい

簡単汁ものは、具材と薬味、だしの素があればでき上がり。いつもストックしている食材や冷蔵庫の残りものを足すなど好みにアレンジしてもOKです。

朝食にも合います
コーンフレークスープ

香ばしいコーンフレークを具に使うのも手。
にんにくを入れると風味がアップします。

材料と作り方（1人分） 
にんにく小½片はみじん切り、スプラウト適量は根元を切る。コーンフレーク大さじ3、顆粒コンソメの素小さじ½とともにお椀に入れ、熱湯を注ぐ。

塩昆布が味の決め手
ねぎ塩昆布汁

うまみがある塩昆布を入れれば、
インスタントお吸いものとは思えない本格味に！

材料と作り方（1人分） 
万能ねぎ1本は小口切りにし、塩昆布大さじ1、和風顆粒だしの素小さじ½とともにお椀に入れ、熱湯を注ぐ。

定番和食ならこれ
納豆汁

ボリュームがあるので朝食がわりにもなります。
粒が細かいひきわりタイプがおすすめ。

材料と作り方（1人分） 
長ねぎ4cm分は小口切りにし、ひきわり納豆1パック（40g）、和風顆粒だしの素小さじ½、みそ大さじ1とともにお椀に入れ、熱湯を注ぐ。

素材別インデックス

「家にあるもので作りたい！」そんなときに素材から調べてみてください。

豚肉とコーンのケチャップマリネ	25
豚肉の塩ガーリック煮	24
豚ひき肉	
トマトマーボー	31
マーボーきのこ	97
れんこんミートボール	30
豚ロース薄切り肉	
豚肉のカリッと竜田揚げ	26
豚肉の簡単クリーム煮	27
豚の竜田揚げ 南蛮ソース	117
洋風しょうが焼き	27
ソーセージ	
玉ねぎとソーセージのコンソメスープ	77
ハム	
即席ポテトサラダ	72
白菜とハムのナンプラー炒め	82
ベーコン	
ジャーマンポテト	73
大根とベーコンのさっぱりあえ	69

魚介

いか	
いかとパプリカの中華炒め	51
いかの甘みそ煮	50
えび	
えびとたけのこのベトナム風炒め	49
えびとブロッコリーの薄味煮	48
レタスとえびのジンジャーソテー	67
鮭	
鮭とセロリの簡単マリネ	45
鮭の照り焼き	44
鮭フレーク	
簡単混ぜ寿司	79
さば	
さばとえのきだけの塩レモン煮	55
さばのカレー風味ソテー	54
さんま	
さんまの梅おかかがらめ	53
さんまのチリソース煮	52
たこ	
たこと小松菜のナムル	56
たこのお好み揚げ	57

肉・加工肉

合いびき肉	
ドライカレー	42
ベジタブルバーグ	43
野菜たっぷりミートソース	106
牛切り落とし肉	
簡単チンジャオロース	75
牛肉の香味しぐれ煮風	41
チャプチェ	40
ほうれん草と牛肉の韓国風炒め	93
鶏ささみ	
バンバンジーソース	110
鶏手羽中肉	
即席タンドリーチキン	37
鶏肉のトマト煮込み	36
鶏ひき肉	
卵入り鶏そぼろ	118
照り焼きミニつくね	39
ひき肉と長いもの甘辛煮	38
鶏胸肉	
チキンライス	76
鶏胸肉と豆のチーズ炒め	35
鶏胸肉のしっとり中華マリネ	34
鶏もも肉	
具ごろごろホワイトソース	108
塩から揚げ	33
ゆずこしょう＆韓国風のグリルチキン	32
豚かたまり肉	
塩豚	28
塩豚チャーハン	29
中華風サラダ	29
豚こま切れ肉	
なすと豚肉のみそ炒め	89
豚肉とまいたけのしょうがポン酢炒め	22
豚肉のこくうまオイスターソース煮	23
豚しゃぶしゃぶ用肉	
豚しゃぶサラダ	65
豚バラ薄切り肉	
きゅうり漬けと豚肉のサッと炒め	78
根菜カレー	95
大根と豚肉のクリーム煮	69
豚汁	94

124

たけのこ（水煮）
えびとたけのこのベトナム風炒め	49

玉ねぎ
えびとたけのこのベトナム風炒め	49
オニオンサラダ	77
オニオンドレッシング	76
具ごろごろホワイトソース	108
ジャーマンポテト	73
玉ねぎとソーセージのコンソメスープ	77
チキンライス	76
ドライカレー	42
豚肉の簡単クリーム煮	27
ベジタブルバーグ	43
野菜たっぷりミートソース	106

トマト
トマト卵のふんわり中華炒め	81
トマトのはちみつレモンソース	81
トマトマーボー	31
フレッシュトマトのスパゲティ	80

長いも
ひき肉と長いもの甘辛煮	38

長ねぎ
簡単！食べるラー油	112
切干大根の南蛮漬け	116
鶏胸肉のしっとり中華マリネ	34
納豆汁	123
バンバンジーソース	110
豚肉のこくうまオイスターソース煮	23

なす
塩もみなすの辛子あえ	90
なすと豚肉のみそ炒め	89
なすと水菜のスパゲティ	91
なすのツナマヨあえ	90

にら
塩豚チャーハン	29

にんじん
カラフルひじき煮	114
キャロットサラダ	87
具ごろごろホワイトソース	108
根菜カレー	95
セロリとにんじんのマスタード炒め	87
ちくわとにんじんの甘辛炒め	88

ちりめんじゃこ
ピーマンとじゃこの炒め煮	74

ぶり
塩ぶり大根	46
ぶりときのこのオイスターソース炒め	47

野菜

いんげん
いかの甘みそ煮	50
カラフルひじき煮	114

キドニービーンズ（水煮）
鶏胸肉と豆のチーズ炒め	35

キャベツ
キャベツチーズステーキ	64
キャベツのおかかあえ	62
キャベツのペペロンチーノ	63
豚しゃぶサラダ	65

きゅうり
簡単混ぜ寿司	79
きゅうり漬けと豚肉のサッと炒め	78
きゅうりの浅漬け	78
即席ポテトサラダ	72
中華風サラダ	29
もずくときゅうりの酢のもの	79

ごぼう
根菜カレー	95
豚汁	94

小松菜
たこと小松菜のナムル	56

じゃがいも
ジャーマンポテト	73
即席ポテトサラダ	72

スプラウト
コーンフレークスープ	123

セロリ
鮭とセロリの簡単マリネ	45
セロリとにんじんのマスタード炒め	87

大根
塩ぶり大根	46
大根ステーキ	68
大根と豚肉のクリーム煮	69
大根とベーコンのさっぱりあえ	69

素材別インデックス

根菜カレー	95
豚汁	94
れんこんミートボール	30

きのこ

えのきだけ
きのこ汁	96
さばとえのきだけの塩レモン煮	55
なめたけ	120
マーボーきのこ	97

エリンギ
豚肉の簡単クリーム煮	27

しいたけ
きのこ汁	96
具ごろごろホワイトソース	108
豚肉のこくうまオイスターソース煮	23
マーボーきのこ	97

しめじ
きのこ汁	96
さんまのチリソース煮	52
ぶりときのこのオイスターソース炒め	47
マーボーきのこ	97

まいたけ
豚肉とまいたけのしょうがポン酢炒め	22
ぶりときのこのオイスターソース炒め	47

豆腐・卵・納豆

油揚げ
油揚げと水菜の煮びたし	100
カリカリ油揚げ	100
きつねうどん	101
わかめと油揚げのポン酢あえ	101

豆腐
あんかけそぼろ温やっこ	119
キムチ豆腐	99
豆腐ステーキ	98

うずらの卵（水煮）
えびとブロッコリーの薄味煮	48
ザーサイしょうがスープ	122

卵
塩豚チャーハン	29
卵入り鶏そぼろ	118

チャプチェ	40
鶏胸肉のしっとり中華マリネ	34
豚汁	94
にんじんの卵とじスープ	86
ベジタブルバーグ	43

にんにく
簡単！ 食べるラー油	112

白菜
白菜とハムのナンプラー炒め	82
白菜とほたてのポン酢蒸し	83
ラーパーツァイ	83

パプリカ
いかとパプリカの中華炒め	51
野菜たっぷりミートソース	106

万能ねぎ
ねぎ塩昆布汁	123

ピーマン
簡単チンジャオロース	75
チャプチェ	40
ドライカレー	42
ピーマンとじゃこの炒め煮	74

ブロッコリー
えびとブロッコリーの薄味煮	48
ビタミンチャーハン	70
ブロッコリーの梅しそマヨあえ	71
ブロッコリーのきんぴら	71

ほうれん草
ベジタブルバーグ	43
ほうれん草と牛肉の韓国風炒め	93
ほうれん草のゆずこしょうおひたし	92

水菜
油揚げと水菜の煮びたし	100
なすと水菜のスパゲティ	91

もやし
もやしと桜えびのチヂミ	84
もやしとツナのカレーマヨ炒め	85
もやしのナムル	85

レタス
中華風サラダ	29
レタスとえびのジンジャーソテー	67
レモンシュガーサラダ	66

れんこん

126

のりキムチご飯	103
春雨	
チャプチェ	40
ほたて缶	
白菜とほたてのポン酢蒸し	83
マッシュルーム缶	
鶏胸肉と豆のチーズ炒め	35
芽ひじき	
カラフルひじき煮	114
もずく	
もずくときゅうりの酢のもの	79

チーズ

スライスチーズ	
キャベツチーズステーキ	64
ピザ用チーズ	
玉ねぎとソーセージのコンソメスープ	77
チキンドリア	109
プロセスチーズ	
黒ごまチーズご飯	103
モツァレラチーズ	
フレッシュトマトのスパゲティ	80

アレンジ

野菜たっぷりミートソース	
スパゲティミートソース	107
具ごろごろホワイトソース	
チキンドリア	109
バンバンジーソース	
冷やしバンバンジーうどん	111
カラフルひじき煮	
ひじき入り卵焼き	115
切干大根の南蛮漬け	
豚の竜田揚げ 南蛮ソース	117
卵入り鶏そぼろ	
あんかけそぼろ温やっこ	119
なめたけ	
なめたけおろし	121

照り焼きミニつくね	39
トマト卵のふんわり中華炒め	81
にんじんの卵とじスープ	86
ひじき入り卵焼き	115
ビタミンチャーハン	70
ベジタブルバーグ	43
納豆	
納豆汁	123

乾物・缶詰・その他

カットわかめ	
わかめと油揚げのポン酢あえ	101
キムチ	
キムチ豆腐	99
のりキムチご飯	103
切干大根	
切干大根の南蛮漬け	116
コーン缶	
カラフルひじき煮	114
コーンバターご飯	103
豚肉とコーンのケチャップマリネ	25
コーンフレーク	
コーンフレークスープ	123
ザーサイ	
ザーサイしょうがスープ	122
鶏胸肉のしっとり中華マリネ	34
桜えび	
簡単！食べるラー油	112
もやしと桜えびのチヂミ	84
塩昆布	
ねぎ塩昆布汁	123
高菜漬け	
高菜ご飯	102
ちくわ	
ちくわとにんじんの甘辛炒め	88
ツナ缶	
なすのツナマヨあえ	90
もやしとツナのカレーマヨ炒め	85
トマト缶	
鶏肉のトマト煮込み	36
野菜たっぷりミートソース	106
のり	

Profile

武蔵裕子 むさし ゆうこ

料理研究家。和食をはじめ、洋風、中華、エスニックなど、あらゆる分野の料理に精通し、やさしく作れるようにアレンジした家庭料理が人気。雑誌や書籍で活躍するほか、企業のメニュー開発にも携わる。『野菜たっぷり 食べる万能合わせだれ』(小社)、『いそがしママの15分レシピ』(オレンジページ)、『いちばん使える豚肉料理の便利帳』(辰巳出版)など著書多数。

スピード・ムダなし・
安心・おいしい！

これならできる!! 毎日ラクチン！
作りおき ✚ 使いきりおかず

著者／武蔵裕子
発行者／永岡修一
発行所／株式会社永岡書店
〒176-8518　東京都練馬区豊玉上1-7-14
電話　03-3992-5155（代表）
　　　03-3992-7191（編集部）
DTP／編集室クルー
印刷／横山印刷
製本／ヤマナカ製本
ISBN978-4-522-43025-5　C2077
落丁本・乱丁本はお取り替えいたします。⑤
本書の無断複写・複製・転載を禁じます。

Staff

● 撮影
　三村健二
● 編集・スタイリング
　坂本典子
　佐藤由香
　（シェルト*ゴ）
● アートディレクション
　太田雅貴
　（太田デザイン事務所）
● デザイン
　井上宏樹
　市川可奈子
　桑原巧
　（太田デザイン事務所）
● 編集担当
　佐藤久美
　池田優子